覚えているかな？ （復習）

1.

2.

3.

1. 「春休みに何をしましたか？」
   「アルバイトをしました。」
   「家族といっしょに済州島(チェジュド)にいきました。祖母の故郷が済州島です。」
2. 「済州島ですか。わ～、私も行きたいです。」
   「僕はアメリカに行きたいです。メジャーリーグを見たいです。」
3. 「今年は行けません。私たちは高校3年生です。」

4.

5.

6.

4.「故郷は済州島のどこですか。」
　「西帰浦(ソギッポ)です。」
5.「済州島までどうやって行きましたか。」
　「飛行機で行きました。」
6.「楽しかったですか。」
　「はい、僕は海が好きです。」

 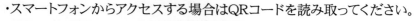

高校生のための韓国朝鮮語

高等学校韓国朝鮮語教育ネットワーク西ブロック
「好きやねんハングルII」編集チーム

好きやねん ハングルII

はじめに

この教科書を使って学習するみなさんへ

ヨロブン、アンニョンハセヨ？ハングル チェミイッソヨ？

　この教科書は、皆さんが韓国の高校生と出会い、交流する場面で、お互いのことを話したり、一緒に何かをしたりするために、韓国語をしっかり使えるようになってほしいという願いを込めて作られています。役に立つ表現がたくさん入っていますので、CDの生の音もしっかり聞き、上手に活用しながら、楽しく学習を進めてください。

この教科書を使用される先生方へ

本書は

　既刊の「高校生のための韓国朝鮮語『新・好きやねんハングルⅠ』」を終了後、継続して学習する方を対象に編集されています。

本書のねらい

　「新・好きやねんハングルⅠ」でも記述していますが、隣国の言葉の学習は、自分自身で直接、隣国の生活や文化に触れ、社会・歴史を知り理解することにつながります。また、自分や自分の住む社会を振り返り、再発見することにもつながります。「好きやねんハングルⅡ」では、「外国語学習のめやす2012　高等学校の中国語と韓国語教育からの提言」(2012年3月1日　初版発行　公益財団法人　国際文化フォーラム)から多くの示唆を得て、新たな出会いと交流活動の中で、リアルなコミュニケーション活動を通して、隣国のことばや人びと、文化・社会に対して「わかる・できる・つながる」ことができる力をつけることを目指しています。

本書の構成

　巻頭に、「新・好きやねんハングルⅠ」の復習のページとして「覚えているかな？」というタイトルで、Ⅰで学習した重要表現を盛り込み、新学期の教師と生徒たちとの教室でのやりとりを掲載しています。本格的に、「好きやねんハングルⅡ」の学習に入る前のウォーミングアップとして活用してください。

　また、全体としては

　　「第1章　ソウルからの留学生を迎えて」(第1〜8課　日本国内での交流活動)
　　「第2章　韓国を訪れて」(第9〜16課　韓国での交流活動)

の2部仕立てに構成されています。

　第1章では、教室や学校内、自分の住む街中を中心に、日本国内でのコミュニケーション場面を想定し、ソウルからの留学生「ソナ」とのやりとりを中心に展開しています。

第2章では、高校生が韓国を訪問したときに、遭遇しそうなコミュニケーション場面を想定し、お店の人や韓国の高校生とのやりとりを中心に展開しています。

　韓国の姉妹校との交流を行っている学校はもちろん、行っていない学校でも、日韓の高校生同士の出会いと交流の機会を生かせる力を養っていければと考えています。

各課の構成

訳 ：日本語訳はできるだけ直訳に沿いながらも、不自然な箇所は意訳してあります。

タイトル ：各課の学習到達目標と、トピックの内容を端的に表す例文を掲げています。

本文 ：トピックに沿ったモデル会話を掲載しています。

語句 ：漢字語については、〈　〉内に漢字を掲載しています。ㅂ形のようなアイコンの表す意味についてはp.183をご覧ください。

表現のしくみ ：多くの要素を含んだ用言や語尾を分解し、そのしくみを示しています。

発音 ：有声音化・濃音化以外の音声変化を取り上げています。

表現のポイント ：その課で出てくる重要な文法表現を取り上げ、機能や使い方を解説し、また、平易で有用な例文を添えています。

한번 해 보자 ：直前に学習したポイントとなる表現の最も基本的な活用ができるようになる練習問題です。

좀더 해 보자 ：各課の到達目標に向けて、囲みの中の例や語群を参考にしながら、その課のポイントとなる表現をもう一度復習し、少し発展させて、一往復もしくは二往復レベルのコミュニケーション活動を行うための準備段階の練習問題です。

같이 해 보자 ：その課の到達目標が最終的に達成されるように、ここまでに学習した'한번 해 보자'、'좀 더 해 보자'を組み合わせ、各課で学んだ表現を駆使し、さまざまなコミュニケーション活動ができるようになる総合的な練習問題を提案しています。

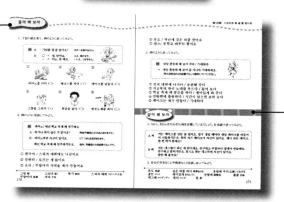

目次

第2章　韓国を訪れて

第1章

ソウルからの
留学生を迎えて

제 목표는 전국 대회에 나가는 것이에요.
私の目標は全国大会に出ることです。

🔊 02

自分の目標や予定を述べることができる

🔊 03~05

< 새 학기 첫수업 >

선생님 : 새 학기가 되었어요.

　　　　자 여러분, 올해 목표가 뭐예요 ?

유 타 : 제 목표는 전국 대회에 나가는 것이에요.

영 철 : 전 축제 때 멋지게 기타 연주를 할 거예요.

　　　　그래서 매일 열심히 연습하고 있어요.

유 키 : 저는 한국어를 열심히 공부할 거예요.

　　　　앞으로 통역사가 되는 것이 꿈이에요.

訳

< 新学期の初めての授業 >

先生　　　　： 新学期になりましたね。さあ、皆さん、今年の目標は何ですか。

裕太　　　　： 僕の目標は全国大会に出ることです。

ヨンチョル　： 僕は文化祭のとき、カッコよくギターを弾こうと思っています。
　　　　　　　だから毎日一生懸命練習しています。

有紀　　　　： 私は韓国語を一生懸命勉強しようと思っています。
　　　　　　　将来、通訳者になるのが夢です。

語句

새 학기<-學期>：新学期	첫：初めての	수업<授業>：授業
～가 되다：～になる	자：さあ	여러분：皆さん
올해：今年	목표<目標>：目標	
전국 대회<全國大會>：全国大会		나가다：出て行く、出る
-는；動詞の現在連体形	것：こと	전 ←「저는」の縮約形
축제<祝祭>：文化祭	때：とき	멋지게：カッコよく
기타：ギター	연주<演奏>：演奏	
-ㄹ 거예요：(し)ようと思います		그래서：それで、だから
매일<每日>：毎日	열심히<熱心->：一生懸命	
연습하다<練習-->：練習する		-고 있다：(し)ている
앞으로：将来、これから	통역사<通譯士>：通訳者	꿈：夢

表現のしくみ

나가는 ← 나가다＋는　　　　　　　할 거예요 ← 하다＋ㄹ 거예요

연습하고 있어요 ← 연습하다＋고 있다＋어요

공부할 거예요 ← 공부하다＋ㄹ 거예요　　　되는 ← 되다＋는

発音

🔊 06

올해 [오래]　　　할 거예요 [할꺼에요]　　　열심히 [열씨미]

연습하고 [연스파고]

13

表現の ポイント

1. 〜가/이 되다　〜になる

「〜가/이 되다」は「〜になる」という意味を表します。名詞の最後に**받침が無い場合**には「가 되다」が付き、名詞の最後に**받침がある場合**は「이 되다」が付きます。

無　가수　　→　　가수가 되고 싶어요
歌手　　　　　　　歌手になりたいです

有　3학년　→　　3학년이 됐어요
3年生　　　　　　3年生になりました

저는 가수가 되고 싶어요.　　私は歌手になりたいです。

올해 3학년이 됐어요.　　今年3年生になりました。

한 번 해 보 자

「〜가/이 되고 싶어요」を使って言ってみよう。

① 디자이너 →　_____　デザイナーになりたいです。

② 공무원　 →　_____　公務員になりたいです。

③ 선생님　 →　_____　先生になりたいです。

④ 요리사　 →　_____　料理人になりたいです。

14

2. 動詞の現在連体形 -는

　用言が名詞を修飾する場合の形を連体形といいます。動詞の現在連体形の語尾は「-는」で、接続の型は**単純型**です。語幹末の받침が「ㄹ」の場合は、「ㄹ」받침が**脱落**します。

좋아하다 ＋ 스포츠　→　좋아하는 스포츠
好きだ　　　　　スポーツ　　　　　好きなスポーツ

입다 ＋ 방법　→　입는 방법
着る　　　方法　　　　着る方法、着方

ㄹ↓ 알다 ＋ 사람　→　아는 사람
知っている　　人　　　　知っている人、知り合い

좋아하는 스포츠가 뭐예요?　　　好きなスポーツは何ですか。
기모노를 입는 방법을 배우고 싶어요.　着物の着方を習いたいです。
저 사람 아는 사람이에요?　　　あの人、知り合いですか。

한 번 해 보자

「-는」を使って言ってみよう。

① 쉬다 ＋시간　　　→　_____ 休む時間＝休み時間

② 웃다 ＋얼굴　　　→　_____ 笑う顔＝笑顔

③ 사전 찾다＋방법　→　_____ 辞書を引く方法＝辞書の引き方

④ 놀다 ＋날　　　→　_____ 休む日＝休日

15

3. -ㄹ/을 거예요 (し)ようと思います、(する)つもりです

「-ㄹ/을 거예요」は、自分の予定や心づもりを表します。接続の型は**받침有無型**です。語幹末の반침が「ㄹ」の場合は、この「ㄹ」**받침が脱落**して「ㄹ 거예요」が付きます。

無	가다 行く	→	갈 거예요 行こうと思います
有	읽다 読む	→	읽을 거예요 読もうと思います
ㄹ↓	만들다 作る	→	만들 거예요 作ろうと思います

토요일에 유키 씨 집에 갈 거예요.　　土曜日に有紀さんの家に行こうと思います。

이 책은 방학 때 읽을 거예요.　　この本は休み中に読むつもりです。

오늘 저녁은 제가 만들 거예요.　　今日の晩ご飯は私が作ろうと思ってます。

＊「-ㄹ/을 거예요」は、第三者のことについて推測する場合にも使います。

이 만화책 재미있을 거예요.　　この漫画、おもしろいと思いますよ。

선아 씨 전화번호는 유키 씨가 알 거예요.

ソナさんの電話番号は、有紀さんが知ってるでしょう。

한 번 해 보자

「-ㄹ/을 거예요」를 使って言ってみよう。

① 여행을 가다　　→ ＿＿＿＿＿＿＿＿＿＿＿＿　旅行に行こうと思います。

② 외국에서 살다　→ ＿＿＿＿＿＿＿＿＿＿＿＿　外国で暮らそうと思います。

③ 단 것은 안 먹다 → ＿＿＿＿＿＿＿＿＿＿＿＿　甘いものは食べないつもりです。

④ 아르바이트하다 → ＿＿＿＿＿＿＿＿＿＿＿＿　アルバイトしようと思います。

4. -고 있다　(し)ている

「-고 있다」は、その動作が進行中であることや、日課や習慣にしていることを表します。接続の方は単純型です。

먹다　　→　먹고 있어요
食べる　　　　食べています

다니다　→　다니고 있어요?
通う　　　　　通っているんですか

목욕하다　→　목욕하고 있었어요
風呂に入る　　　　お風呂に入っていました

지금 점심을 먹고 있어요.　　　　いま昼食を食べています。

요즘 영어 학원에 다니고 있어요?　最近、英語学校に通ってるんですか。

그때는 목욕하고 있었어요.　　　　その時はお風呂に入っていました。

「-고 있어요」を使って言ってみよう。

① 친구를 기다리다

→ _____ 友だちを待っています。

② 도서관에서 숙제하다

→ _____ 図書館で宿題をしています。

③ 요즘 추리 소설을 읽다

→ _____ 最近、推理小説を読んでいます。

1. 有紀の今年の目標は何でしょう。日本語で言ってみよう。

올해 목표

우에다 유키

1.　매일 일찍 일어나는 것
2.　숙제를 꼭 하는 것
3.　수영 연습을 열심히 하는 것
4.　한글검정시험에 합격하는 것
5.　매일 일기를 쓰는 것
6.　친구하고 사이좋게 지내는 것
7.　동생하고 안 싸우는 것
8.　야채를 잘 먹는 것
9.　남자 친구를 사귀는 것
10.　5만 엔 모으는 것

2. あなたの今年の目標を韓国朝鮮語で3つ以上言ってみよう。

매일 每日	일찍 早く	꼭 必ず	검정시험 検定試験
합격 合格	일기 日記	사이좋게 仲良く	지내다 過ごす
싸우다 けんかする	야채 野菜	～를 사귀다 ～と付き合う	
5만 엔 5万円	모으다 蓄える、ためる		

3. 目標について、例のように対話してみよう。

> **例**
>
> A：B 씨, 올해 목표가 뭐예요?　　　Bさん、今年の目標は何ですか。
>
> B：10만 엔 모으는 것이에요.　　　10万円貯めることです。

4. 語群を参考にし、予定について例のように対話してみよう。

> **例**
>
> A：다음 방학 때는 뭐 할 거예요?　　次の休みは何しますか。
>
> B：야구 연습을 열심히 할 거예요.　　野球の練習を一生懸命しようと思います。

> **例**
>
> A：연휴 때 뭐 할 거예요?　　　連休の時、何しますか。
>
> B：친구하고 영화를 볼 거예요.　　友だちと映画を見ようと思っています。

〈 語群 〉

한국 韓国	학원 塾	바다 海	산 山	읽다 読む
할머니 집 おばあちゃんの家	시골 田舎	여행 旅行	공부 勉強	
아르바이트 アルバイト	연습 練習	책 本	영화 映画	
비디오 ビデオ	게임 ゲーム	인터넷 インターネット		
자원봉사 ボランティア	매일 毎日	열심히 一生懸命		
꼭 必ず	많이 たくさん	놀다 遊ぶ	가다 行く	다니다 通う

20

5. 絵を見て、例のように言ってみよう。

例

댄서

→ <u>댄서</u>가 되는 것이 꿈이에요.
ダンサーになるのが夢です。

①
학교 선생님

②
간호사

③
연예인

④
프로야구 선수

같이 해 보자

◈ 例のように自分の夢や目標について対話してみよう。

例

A : 선아 씨 꿈이 뭐예요?

B : 제 꿈은 <u>파티셰가 되는 것</u>이에요.
<u>졸업 후에는 프랑스에 유학 갈</u> 거예요.

그래서 <u>지금 프랑스어도 공부하고 있어요.</u>

ソナさんの夢は何ですか。
私の夢はパティシエになること
です。卒業後にはフランスに
留学しようと思っています。
だから今、フランス語も勉強し
ています。

연예인 芸能人　파티셰 パティシエ　졸업 후 卒業後　프랑스 フランス
유학 가다 留学に行く　그래서 だから　지금 今　프랑스어 フランス語

21

　日本語の「いち、に、さん…」にあたるものを漢字語数詞と言い、「ひとつ、ふたつ、みっつ…」にあたるものを固有語数詞と言います。

漢字語数詞
　次の数詞を日本語と同様に組み合わせることで、小数点(점〈点〉)やマイナス(마이너스〈minus〉)の付く数値を含む、あらゆる数を表現できます。

一	二	三	四	五	六	七
일	이	삼	사	오	육	칠
八	九	十	零	百	千	万
팔	구	십	영 / 공	백	천	만

漢字語数詞に付く単位

> ～ 학년〈學年〉(～年生),　　～ 원(～ウォン),　　～ 엔(～円)
> ～년〈年〉,　　～월〈月〉,　　～일〈日〉,　　～분〈分〉,　　～초〈秒〉

　例) 3年生：삼학년

　　　12,000ウォン：만 이천 원　　　780円：칠백팔십 엔

　　　2025年 12月 31日：이천이십오년 십이월 삼십일일

　　　3.14：삼 점 일사 [삼쩜 일싸]

　＊「6月」と「10月」は「유월」「시월」のように形が変わります。

　　　6月 25日：유월 이십오일　　　10月 9日：시월 구일

数詞の使い方 2

固有語数詞

韓国朝鮮語の固有語数詞は、1から99までの整数を表すことができます。

一つ	二つ	三つ	四つ	五つ	六つ	七つ	八つ	九つ	とお
하나 <한〜>	둘 <두〜>	셋 <세〜>	넷 <네〜>	다섯	여섯	일곱	여덟	아홉	열

十一	十二	二十	三十	四十	五十	六十	七十	八十	九
열하나 <열한〜>	열둘 <열두〜>	스물 <스무〜>	서른	마흔	쉰	예순	일흔	여든	아흔

固有語数詞に付く単位

> 〜 시(時)，　〜 살(歳)，　〜 개(個)，　〜 명(名)

* 固有語数詞の後ろに、単位を表す名詞が付く場合、「하나, 둘, 셋, 넷」と「스물」は、上の表の< >の形、「한〜, 두〜, 세〜, 네〜」「스무〜」になります。

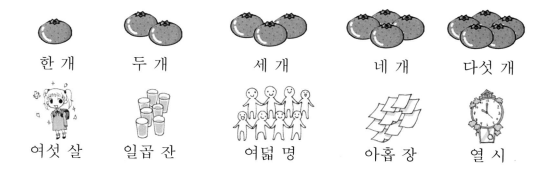

한 개　　두 개　　세 개　　네 개　　다섯 개

여섯 살　　일곱 잔　　여덟 명　　아홉 장　　열 시

몇 살이에요?

열일곱 살이에요.

23

한국에 여행 갔다 왔어요.

韓国に旅行に行ってきました。

🔊 07

休み中の体験を述べることができる

🔊 08~10

< 쉬는 시간에 >

유　키 : 선생님, 저, 한국에 여행 갔다 왔어요.

선생님 : 어머, 그래요? 어땠어요?

유　키 : 네, 재미있는 것도 많이 보고 맛있는 것도

　　　　　많이 먹었어요.

유　타 : 와, 부럽다!

유　키 : 그리고 이렇게 예쁜 것도 샀어요.

유　타 : 그 핸드폰 줄 참 예쁘다!

유　키 : 핸드폰 줄이 아니에요. 열쇠고리예요.

訳

< 休み時間に >
有紀 ： 先生、私、韓国へ旅行に行ってきました。
先生 ： あら、そうなの？どうでしたか。
有紀 ： ええ、面白いものもたくさん見たし、おいしいものもたくさん食べました。
裕太 ： わあ、うらやましいなあ。
有紀 ： そして、こんなにかわいいのも買いました。
裕太 ： その携帯ストラップ、ほんとにかわいい！
有紀 ： 携帯ストラップじゃないですよ。キーホルダーですよ。

語句

여행<旅行> : 旅行　　　　　갔다 오다 : 行ってくる　어땠어요? : どうでしたか
-는 ; 存在詞の現在連体形語尾　것 : もの　　　　　　-고 : (し)て
부럽다 : うらやましい　　　그리고 : そして　　　　이렇게 : こんなに
예쁘다 : かわいい　　　　　-ㄴ ; 形容詞の現在連体形語尾
핸드폰 줄 : 携帯ストラップ　참 : 本当に
~이 아니에요 : ~ではありません　　　　　　열쇠고리 : キーホルダー

表現のしくみ

갔다 왔어요 ← 갔다 오다+았+어요
재미있는 ← 재미있다+는　　　　　　보고 ← 보다+고
맛있는 ← 맛있다+는　　　　　　　　예쁜 ← 예쁘다+ㄴ

発音

🔊11

재미있는 [재미인는]　　　　맛있는 [마신는]
이렇게 [이러케]　　　　　　핸드폰 줄 [핸드폰쭐]

表現の ポイント

1. -다! -だ！

動詞以外の用言は、**基本形のままで感嘆を表すことができます。**

참 예쁘다!　　　とってもかわいい！

너무 맛있다!　　すごくおいしい！

와, 김밥이다!　　わあ、キンパプ(韓国のり巻き)だ！

＊これまでに学習した「～입니다」「～예요/이에요」の基本形は「～이다」です。

한 번 해 보 자

次の単語を使って「와, -다!」と言ってみよう。

① 귀엽다　　　　→　_____　わあ、かわいらしい！

② 재미있다　　　→　_____　わあ、面白い！

③ 정말 빠르다　　→　_____　わあ、本当に速い！

④ 진짜 많다　　　→　_____　わあ、ホントに多い！

韓国朝鮮語の「用言」

日本語の用言には「動詞」「形容詞」「形容動詞」がありますが、韓国朝鮮語の用言は語尾活用のタイプによって次のように分けられます。

	例（基本形：辞書に載っている形）
動詞	가다 行く、　먹다 食べる、　사랑하다 愛する
形容詞	좋다 良い、　바쁘다 忙しい、　유명하다 有名だ
存在詞	있다 ある、　없다 ない、　맛있다 おいしい、　재미없다 面白くない
指定詞	～이다 ～である、　아니다 違う、　～ではない

おおよそ、日本語の動詞にあたる単語は韓国朝鮮語でも動詞、日本語の形容詞と形容動詞にあたる単語は韓国朝鮮語では形容詞に分類されます。

2. ～가/이 아니에요　～ではありません

「～가/이 아니에요」は、「～이에요/예요(～です)」の否定表現で、名詞の最後に**받침が無い場合**には「가 아니에요」が付き、名詞の最後に**받침がある場合**は「이 아니에요」が付きます。

無　남자 친구　　→　　남자 친구가 아니에요
　　彼氏　　　　　　　　彼氏ではありません

有　대학생　　　→　　대학생이 아니에요
　　大学生　　　　　　　大学生ではありません

저 사람은 제 남자 친구가 아니에요.　　あの人は私の彼氏ではありません。

언니는 대학생이 아니에요.　　姉は大学生ではありません。

한번 해 보자

「～가/이 아니에요」を使って言ってみよう。

① 핸드폰　　→　_____ 携帯電話ではありません。

② 고양이　　→　_____ 猫ではありません。

③ 제 것　　→　_____ 私のではありません。

3. 存在詞・形容詞の現在連体形

< A. 存在詞の現在連体形 -는 >

「있다, 없다」および「있다, 없다で終わる用言」を存在詞と言います。存在詞の現在連体形の語尾は「-는」で、接続の型は**単純型**です。

맛있다 + 음식　　　　→　　맛있는 음식
おいしい　　　食べ物　　　　　　おいしい 食べ物

재미없다 + 티비 프로　→　재미없는 티비 프로
面白くない　　　テレビ番組　　　面白くないテレビ番組

맛있는 음식을 많이 먹었어요.　　おいしい食べ物をたくさん食べました。

재미없는 TV 프로는 안 보고 싶어요.

面白くないテレビ番組は見たくありません。

한 번 해 보자

連体形語尾「-는」を使って言ってみよう。

① 인기 있다 + 가수　→　＿＿＿＿＿＿＿＿＿＿＿＿＿　人気のある歌手

② 멋있다 + 사람　→　＿＿＿＿＿＿＿＿＿＿＿＿＿　かっこいい人

③ 재미없다 + 영화　→　＿＿＿＿＿＿＿＿＿＿＿＿＿　面白くない映画

< B. 形容詞の現在連体形 -ㄴ/은 >
 形容詞の現在連体形の語尾は「-ㄴ/은」で、接続の型は**받침有無型**です。ただし、語幹末の받침が「ㄹ」の場合は「**ㄹ**」받침が脱落して「-ㄴ」が付きます。

無	예쁘다 きれいだ	+ 한복 チマチョゴリ	→	예쁜 한복 きれいなチマチョゴリ

無	예쁘다 + 한복 → 예쁜 한복
有	좋다 + 사람 → 좋은 사람
ㄹ↓	길다 + 바지 → 긴 바지

예쁘다 きれいだ　한복 チマチョゴリ　예쁜 한복 きれいなチマチョゴリ
좋다 良い　사람 人　좋은 사람 良い人
길다 長い　바지 ズボン　긴 바지 長いズボン、長ズボン

예쁜 한복을 입어 보고 싶어요.　きれいなチマチョゴリを着てみたいです。
좋은 사람을 많이 만났어요.　良い人にたくさん出会いました。
반바지보다 긴 바지가 좋아요.　半ズボンより長ズボンがいいです。

한 번 해 보자

連体形語尾「-ㄴ/은」を使って言ってみよう。

① 유명하다 + 배우　→ ＿＿＿＿＿＿＿＿＿＿ 有名な俳優

② 몸에 좋다 + 음식　→ ＿＿＿＿＿＿＿＿＿＿ 体に良い食べ物

③ 멀다 + 나라　→ ＿＿＿＿＿＿＿＿＿＿ 遠い国

4. -고 （し）、（し）て

「-고」は、二つ以上の動作や状態を並べて述べるときに使う語尾です。接続の型は**単純型**です。

보다　→　보<u>고</u>　　작다　→　작<u>고</u>
見る　　　　見るし、見て　　小さい　　　小さくて

만화도 보고 영화도 봐요.　　漫画も読むし、映画も見ます。

옆 집에 작고 예쁜 강아지가 있어요.　　隣の家に小さくて可愛い犬がいます。

공부도 하고 운동도 했어요.　　勉強もしたし運動もしました。

한 번 해 보 자

「-고」を使って文をつなぎ、文末は해요形で言ってみよう。

① 유키는 기모노를 입다 / 선아는 한복을 입다

→ _____

　　有紀は着物を着て、ソナはチマチョゴリを着ます。

② 이름도 알다 / 전화번호도 알다

→ _____

　　名前も知っているし、電話番号も知っています。

③ 축구 연습도 하다 / 아르바이트도 하다

→ _____

　　サッカーの練習もし、アルバイトもします。

30

좀 더 해 보자

1. ①〜④のものを修飾する言葉を下の語群から自由に選び、例のように対話してみよう。

例

핸드폰 줄

A : 뭐 샀어요?　　何買いましたか。

B : 예쁜 핸드폰 줄을 샀어요.

　　　　　　　かわいい携帯ストラップを買いました。

①

가방

②

티셔츠

③

자전거

④

구두

〈 語群 〉

크다 大きい	작다 小さい	예쁘다 かわいい
굽이 높다 かかとが高い	굽이 낮다 かかとが低い	비싸다 (値段が)高い
싸다 安い	멋있다 カッコいい	유명하다 有名だ
편리하다 便利だ	재미있다 おもしろい	

2. 絵を見て、例のように対話に答えてみよう。

例

게임을 하다 /

채팅을 하다

A : 인터넷으로 뭐 해요?　　インターネットで何しますか。

B : 게임도 하고 채팅도 해요.　　ゲームもするしチャットもします。

① 아침에 뭐 먹어요?

우유를 마시다 / 사과를 먹다

② 주말에 뭐 해요?

영화를 보다 / 쇼핑을 하다

③ 교토에서 뭐 했어요?

맛있는 것을 먹다 / 사진을 찍다

④ 방학에 뭐 했어요?

아르바이트를 하다 / 여행을 다니다

3. 絵を見て、例のように対話してみよう。

 例

핸드폰 줄

A : 그 열쇠고리 예쁘다! そのキーホルダーかわいい!

B : 열쇠고리가 아니에요. 핸드폰 줄이에요.
キーホルダーじゃないですよ。携帯ストラップですよ。

① 게임기

A : 그 컴퓨터 정말 작다!

B : _____

② 핸드폰

A : 그 카메라 멋있다!

B : _____

③ 그냥 친구

A : 와, 예쁘다! 여자 친구예요?

B : _____

④ 목요일

A : 오늘 금요일이에요?

B : _____

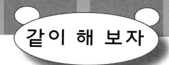

◈ 下の語群を参考にして、例のように休み中の体験を対話してみよう。

例 1

A : B 씨, 방학 때 뭐 했어요?　　　　　　　Bさん、休み中、何しましたか。

B : 아르바이트를 열심히 했어요.　　　　　アルバイトを一生懸命しました。

A : 그래요? 어땠어요?　　　　　　　　　そうですか。どうでしたか。

B : 재미있었어요.　　　　　　　　　　　面白かったです。

　　하지만 좀 힘들었어요.　　　　　　　でも、ちょっとしんどかったです。

例 2

A : B 씨, 봄 방학에 어디 갔다 왔어요?

　　　　　　　　　　　　　　　　　　　Bさん、春休みにどこか行ってきましたか。

B : 나가사키에 갔다 왔어요.　　　　　　長崎に行ってきました。

A : 그래요? 어땠어요?　　　　　　　　　そうですか。どうでしたか。

B : 놀이공원에도 가고 유명한 햄버거도 먹었어요.

　　　　　　　　　　　　　　　　　　　遊園地にも行ったし、有名なハンバーガも

　　　　　　　　　　　　　　　　　　　食べました。

A : 와, 부럽다!　　　　　　　　　　　　わあ、うらやましい。

〈 語群 〉

맛있다 おいしい　　재미있다 面白い　　대단하다 すごい　　　　좋다 良い

이기다 勝つ　　　　지다 負ける　　　힘들다 大変だ　　　　　바쁘다 忙しい

더 있고 싶다 もっといたい　　　　　　빨리 집에 가고 싶다 早く家に帰りたい

여행을 다니다 旅行にまわる　　　그냥 친구 ただの友だち　　　열심히 一生懸命
하지만 でも　　　　　어디 どこか　　　놀이공원 遊園地　　　유명하다 有名だ
부럽다 うらやましい

몇 시에 어디서 만날까요?

何時にどこで会いましょうか。 🔊12

約束の時間や場所などを相談することができる

🔊13~15

유　타 : 선아 씨, 내일 시간 있어요?

선　아 : 네, 있어요. 왜요?

유　타 : 저, 영화 표가 두 장 있는데 같이 보러 가요.

선　아 : 네, 좋아요. 몇 시에 어디서 만날까요?

유　타 : 그럼 우리 내일 두 시에 역 앞에서 만나요.

訳

裕太　：ソナさん、明日時間ありますか。
ソナ　：はい、ありますよ。どうしてですか。
裕太　：あのう、映画のチケットが2枚あるんだけど、いっしょに見に行きましょうよ。
ソナ　：ええ、いいですよ。何時にどこで会いましょうか。
裕太　：じゃあ、明日2時に駅前で会いましょう。

語句

저：あのう　　　　　　　영화〈映畵〉：映画　　　표〈票〉：チケット
두 ～：2～、2つの～　　～장〈張〉：～枚　　　-는데：(する)んだけど
-러 가다：(し)に行く　　～ 시〈時〉：～時　　　-ㄹ까요?：(し)ましょうか
우리：私たち

＊「우리」は「私たち」という意味ですが、相手に誘いかけるときによく使われます。

表現の しくみ

있는데 ← 있다＋는데
보러 갈까요? ← 보다＋러 가다＋ㄹ까요?
만날까요? ← 만나다＋ㄹ까요?

発音

🔊 16

있는데 [인는데]

表現の ポイント

1. 時刻・時間の言い方

「〜時(시)」「〜時間(시간)」をあらわす場合は固有語数詞(한, 두…)を、「〜分(분)」「〜秒(초)」をあらわす場合は漢字語数詞(일, 이…)を使います。

12 時	12 分	12 秒
열두 시	십이 분	십이 초

固有語数詞   漢字語数詞

지금 몇 시예요?   今、何時ですか。

－아홉 시 오 분이에요.   － 9時5分です。

時に関することば

어제 昨日	오늘 今日	내일 明日	오전 午前	오후 午後
〜전 〜前	〜후 〜後	〜쯤 〜頃	반 半	시간 時間
언제 いつ	아침 朝	점심 시간 昼休み		저녁 晩、夕方

어제는 열한 시 반에 잤어요.   昨日は11時半に寝ました。

한 번 해 보자

次の時刻を韓国朝鮮語で言ってみよう。

① 3:15   ② 5:30   ③ 12:45   ④ 1時10分前

2. -러/으러　(し)に

　日本語の「(し)に行く・来る」のように、「-러/으러」は「가다(行く)」「오다(来る)」などとともに使われ、目的を表します。接続の型は**받침有無型**です。語幹末の받침が「ㄹ」받침の場合、「ㄹ」받침は脱落せずに「러」が付きます。

| 無 | 사다 | → | 사러 가요 |
| | 買う | | 買いに行きます |

| 有 | 먹다 | → | 먹으러 갔어요 |
| | 食べる | | 食べに行きました |

| ㄹ | 놀다 | → | 놀러 오세요 |
| | 遊ぶ | | 遊びに来てください |

편의점에 과자 사러 가요.　　　コンビニにお菓子を買いに行きます。

식당에 밥 먹으러 갔어요.　　　食堂にごはんを食べに行きました。

우리 집에 놀러 오세요.　　　うちに遊びに来てくださいね。

한 번 해 보자

「-러/으러 가요」を使って言ってみよう。

① 선배를 만나다　→　＿＿＿＿＿＿＿＿＿＿＿　先輩に会いに行きます。

② 옷 사다　　　　→　＿＿＿＿＿＿＿＿＿＿＿　服を買いに行きます。

③ 은행에 돈 찾다 →　＿＿＿＿＿＿＿＿＿＿＿　銀行にお金を引き出しに行きます。

3. -ㄹ까요?/을까요?　（し）ましょうか

「-ㄹ까요?/을까요?」は、「（し）ましょうか」と相手に相談したり提案したりするときに使う表現です。接続の型は**받침有無型**です。語幹末の받침が「ㄹ」の場合は、「ㄹ」받침が脱落して「ㄹ까요?」が付きます。

無	하다 する	→	할까요? しましょうか
有	먹다 食べる	→	먹을까요? 食べましょうか
ㄹ↓	만들다 作る	→	만들까요? 作ろうと思いますか

제가 연락할까요?　　　　　私が連絡しましょうか。
- 네, 부탁합니다.　　　　　－ はい、お願いします。

팥빙수 먹을까요?　　　　　パッピンス（かき氷）食べましょうか。
- 좋아요!　　　　　　　　　－ いいですね!

뭐 만들까요?　　　　　　　なにを作りましょうか。
- 샌드위치 만들어요.　　　　－ サンドイッチを作りましょう。

한 번 해 보 자

「-ㄹ까요?/을까요?」を使って言ってみよう。

① 여기서 식사하다　→ _____　ここで食事しましょうか。

② 커피숍에서 만나다 → _____　コーヒーショップで会いましょうか。

③ 오늘은 같이 놀다　→ _____　今日はいっしょに遊びましょうか。

4. -는데, -ㄴ데/은데　-んだけど、-のだが

「-는데, -ㄴ데/은데」は、後続する内容に対する前置きや状況説明をする表現です。動詞・存在詞と形容詞とで語尾の形が異ります。

〈 A. 動詞・存在詞 〉

　動詞・存在詞の語幹には「-는데」が付きます。接続の型は**単純型**です。語幹末の받침が「ㄹ」の場合は、「ㄹ」받침が**脱落**して「-는데」が付きます。

숙제하다　→　숙제하는데
宿題する　　　　　宿題するんだけど

있다　→　있는데
ある　　　　あるんだけど

ㄹ↓ 살다　→　사는데
住む　　　　住んでいるんだけど

39

지금 유타 씨하고 숙제하는데 선아 씨도 오세요.

いま裕太さんと宿題をしてるんだけど、ソナさんもいらっしゃい。

시간은 있는데 돈이 없어요.

時間はあるんだけどお金がありません。

고모가 홋카이도에 사는데 우리 같이 놀러 가요.

叔母が北海道に住んでいるんだけど、一緒に遊びにいきましょうよ。

한 번 해 보 자

「−는데」を使って言ってみよう。

① 식사하러 가다 / 같이 가요

→ ＿＿＿＿＿＿＿＿＿＿＿＿＿＿＿＿＿ 食事しに行くんだけど、一緒に行きましょうよ。

② 기념사진을 찍다 / 이 옷이 어때요?

→ ＿＿＿＿＿＿＿＿＿＿＿＿＿＿＿＿＿ 記念写真を撮るんだけど、この服どうですか。

③ 그 친구는 내가 잘 알다 / 물어볼까요?

→ ＿＿＿＿＿＿＿＿＿＿＿＿＿＿＿＿＿＿＿＿＿＿＿＿＿＿
その子のことなら私がよく知っているんだけど、聞いてみましょうか。

＜ B. 形容詞 ＞

　形容詞の語幹には「ーㄴ데/은데」が付きます。接続の型は**받침有無型**です。語幹末の받침が「ㄹ」の場合は「ㄹ」받침が脱落します。

無	싸다	→	싼데
	安い		安いんだけど

有	좋다	→	좋은데
	良い		いいんだけど

ㄹ↓	길다	→	긴데
	長い		長いんだけど

값은 싼데 별로 마음에 안 들어요.　　　値段は安いんだけど、あまり気に入りません。

난 비빔밥이 좋은데 선아 씨는 뭐가 좋아요?

　　　　　　　　　　　　　私はビビンバがいいけど、ソナさんは何がいいですか。

한 번 해 보자

「ーㄴ데/은데」を使って言ってみよう。

① 디자인은 예쁘다 / 좀 작아요.

　→ ＿＿＿＿＿＿＿＿＿＿＿＿＿＿　デザインはかわいいんだけどちょっと小さいです。

② 옷은 많다 / 맞는 구두가 없어요.

　→ ＿＿＿＿＿＿＿＿＿＿＿＿＿＿　服はたくさんあるんだけど、合う靴がありません。

過去を表す「-았/었/였-」が付くと、動詞・形容詞に関わらず、すべての用言に「-는데」が付きます。

떡볶이를 만들었는데 먹어 보세요.

トッポッキを作ったんだけど、食べてみてください。

예전에는 노란색이 좋았는데 요새는 빨간색이 좋아요.

昔は黄色が好きだったんだけど、最近は赤が好きです。

한 번 해 보자

「-는데」を使って言ってみよう。

① 그 영화를 봤다 / 정말 재미있었어요.

→ _____

その映画を見たんだけど、本当におもしろかったですよ。

② 예전에는 컴퓨터가 비쌌다 / 요즘은 정말 싸요.

→ _____

以前はコンピュータが高かったんだけど、最近は本当に安いです。

1. 例のように、絵を見て対話してみよう。

> 例
>
> `14 : 00`
>
> A : 몇 시에 만날까요?　　何時に会いましょうか。
>
> B : 두 시에 만나요.　　　2時に会いましょう。

① `9 : 00`　　② `10 : 30`　　③ `13 : 00`　　④ `16 : 00`

2. 次の場所に何をしに行きますか。例のように言ってみよう。

> 例　　공원 / 조깅하다
>
> A : 어디 가요?　　　　　どこに行くんですか。
>
> B : 공원에 가요.　　　　公園に行きます。
>
> A : 공원에 뭐 하러 가요?　公園に何しに行くんですか。
>
> B : 조깅하러 가요.　　　　ジョギングしに行きます。

① 교토 / 피카소전을 보다　　② 히메지 / 히메지성 구경하다

③ 역 앞 / 친구를 만나다　　④ 체육관 / 배드민턴 치다

⑤ 문화 센터 / 한국어 배우다

조깅하다 ジョギングする　　　　　피카소전 ピカソ展　　　히메지성 姫路城
구경하다 見物する　　체육관 体育館　　배드민턴 バドミントン
치다 打つ、(球技を)する　　　　文化 센터 文化センター　　배우다 習う、学ぶ

3. 例のように対話してみよう。

>
>
> 例　映画館の前で：보다 / 해리포터
>
> A : 우리 뭐 볼까요?　　何見ましょうか。
>
> B : 해리포터 봐요.　　ハリーポッター見ましょう。

① 食堂で : 먹다 / 냉면

② 土産物屋で : 사다 / 핸드폰 줄

③ 遊園地で : 타다 / 롤러코스터

④ レジャービルで : 하다 / 볼링(치다)

4. 例のように「－는데, －ㄴ데/은데」を使って言ってみよう。

>
>
> 例　저 티셔츠 정말 예쁘다 / 입어 볼까요?
>
> → 저 티셔츠 정말 예쁜데 입어 볼까요?
> 　あのTシャツ、とっても可愛いんだけど、着てみましょうか。

① 이건 좀 작다 / 큰 거 있어요?

② 이거 맛있다 / 하나 살까요?

③ 난 커피를 마시고 싶다 / 홍차도 괜찮아요.

④ 비행기를 타 보고 싶다 / 요금이 비싸서 아직 못 타 봤어요.

해리포터 ハリーポッター　　롤러코스터 ローラーコースター

볼링 치다 ボーリングをする　　홍차 紅茶　　　　　　비행기 飛行機

요금 料金　　　　　　　　　아직 まだ

같이 해 보자

◈ 例のようにポスターを見ながら友だちを誘い、待ち合わせをしよう。

例

ゴッホ展

1月15日〜2月16日
天王寺美術館
JR天王寺　徒歩10分

ゴッホ展

A : 고흐전 보러 갈까요?　　　　　　ゴッホ展見に行きましょうか。

B : 네,좋아요.　　　　　　　　　　ええ、いいですよ。

A : 언제 갈까요?　　　　　　　　　いつ行きましょうか。

B : 1월30일에 가요.　　　　　　　　1月30日に行きましょう。

A : 그럼 몇시에 어디서 만날까요?　　じゃあ、何時にどこで会いましょうか。

B : 2시에 오사카역에서 만나요.　　　2時に大阪駅で会いましょう。

① 　　　　　　　　　② 　　　　　　　　　③

冬の大バザール

冬の大バザール

アリラン百貨店
12月1日〜1月29日
地下鉄　難波駅前

ミュージカル

2月15日（土）
14:00〜
会場:レインドックス
JR大阪駅徒歩5分

映画「ドラキュラ」

5月5日〜6月4日
① 10:00
② 13:20
③ 16:40

神戸シネマ

다음 주까지 외우세요.
来週までに覚えてください。

指示・依頼・禁止の内容を理解し表現することができる

📢 18~20

선생님 : 자, 그럼 숙제를 내겠습니다.

유　키 : 또 숙제예요? 숙제가 너무 많아요!

영　철 : 숙제 내지 마세요!

선생님 : 안 돼요. 28페이지 '말마당'을 다음 주까지
　　　　　다 외우세요.

유　키 : 선생님, 유타 씨는요?

선생님 : 유타 씨한테는 영철 씨가 알려 주세요.

영　철 : 제가요? … 네, 알겠습니다.

訳

先生	: さあ、では宿題を出します。
有紀	: また宿題ですか。宿題が多過ぎます！
ヨンチョル	: 宿題、出さないでください！
先生	: だめです。28ページの「ことばの広場」を来週までにすべて覚えてください。
有紀	: 先生、裕太さんは？
先生	: 裕太さんにはヨンチョルさんが教えてあげてください。
ヨンチョル	: 僕がですか？…はい、わかりました。

語句

자 : さあ	숙제〈宿題〉: 宿題	내다 : 出す
-겠습니다 ; 意志	또 : また	너무 : あまりにも、すごく
-지 마세요 : (し)ないでください		안 되다 : だめだ
28 [이십팔]페이지 : 28ページ		다음 주〈−−週〉: 来週
～까지 : ～まで、までに	다 : すべて、全部	외우다 : 覚える
-세요 : (し)てください	～한테 : ～に	알리다 : 教える
-어 주세요 : (し)てください	알다 : わかる	-겠습니다 ; 婉曲

表現のしくみ

내겠습니다 ← 내다＋겠습니다　　내지 마세요 ← 내다＋지 마세요
외우세요 ← 외우다＋세요　　　　알려 주세요 ← 알리다＋어 주세요
알겠습니다 ← 알다＋겠습니다

＊「～まで」という意味を表す「～까지」は、「～までに」という意味で使われることもあります。

내일까지 시험 기간이에요.　　明日まで試験期間です。
내일까지 숙제를 내세요.　　　明日までに宿題を出してください。

発音

🔊 21

내겠습니다 [내게씀니다]　　　　많아요 [마나요]
다음 주 [다음쭈]　　　　　　　알겠습니다 [알게씀니다]

表現の ポイント

1. -겠습니다　意志・婉曲

「-겠습니다」は、話し手の意志を表すかしこまった表現で、決まり文句によく用いられます。婉曲を表わす場合もあります。接続の型は**単純型**です。

먹다　　→　　먹겠습니다
食べる　　　　　　いただきます

모르다　→　　모르겠습니다
わからない　　　　わかりません

잘 먹겠습니다.　　　いただきます。(ご馳走になります)
잘 알겠습니다.　　　よくわかりました。(承知しました)
잘 모르겠습니다.　　よくわかりません。

한 번 해 보자

「-겠습니다」を使って言ってみよう。

① 다녀오다　　　→　　_____　行ってきます。

② 열심히 하다　→　　_____　がんばります。

③ 시작하다　　　→　　_____　始めます。

④ 이만 마치다　→　　_____　これで終わります。

2. ～한테　～に

「(時・場所・ものごと)に」の「に」は「～에」を使いますが、「(人・動物)に」の「に」には「～한테」を使います。名詞の最後に**받침があっても無くても**「～한테」を使います。

강아지 → 강아지한테　　　　여동생 → 여동생한테
小犬　　　　小犬に　　　　　　　妹　　　　　妹に

강아지한테 우유를 줘요.　　　　小犬にミルクをあげます。

여동생한테 선물했어요.　　　　妹にプレゼントしました。

*「～한테」は「～のところに」という意味で使われることもあります。

유타 씨한테 가 보세요.　　　　裕太さんのところに行ってみてください。

한 번 해 보 자

「～한테」を使って言ってみよう。

① 유키 씨/전화해요　→ ＿＿＿＿＿＿＿＿＿＿＿＿＿　有紀さんに電話します。

② 선생님/질문했어요　→ ＿＿＿＿＿＿＿＿＿＿＿＿＿　先生に質問しました。

③ 한국 친구/메일을 보내고 싶어요

　→ ＿＿＿＿＿＿＿＿＿＿＿＿＿＿＿＿　韓国の友だちにメールを送りたいです。

④ 유타 씨 / 연락할 거예요

　→ ＿＿＿＿＿＿＿＿＿＿＿＿＿＿＿＿　裕太さんに連絡します。

3. - 아/어/여 주세요　(し)てください

「-아/어/여 주세요」は、「(し)てください」と相手に依頼する表現です。接続の型は陰陽型です。語幹末の母音が陽母音(「ㅏ」「ㅗ」)の場合は「아 주세요」が、陰母音(「ㅏ」「ㅗ」以外)の場合は「어 주세요」が付きますが、語幹末に受침がなければ縮約が起こります。なお、「하다」は「해 주세요」に変わります。

陽	싸다 包む	→ (싸+아)	싸 주세요 包んでください
陰	빌리다 借りる・貸す	→ (빌리+어)	빌려 주세요 貸してください
하	통역하다 通訳する	→ (통역하+여)	통역해 주세요 通訳してください

김밥 2인분 싸 주세요.　　　のり巻2人前、包んでください。

펜 좀 빌려 주세요.　　　　ちょっとペン貸してください。

통역 좀 해 주세요.　　　　ちょっと通訳してください。

＊「좀：ちょっと」は人に依頼や指示をする際、言葉を和らげるためによく使われます。「좀」は動詞のすぐ前に加えます。

한 번 해 보 자

「-아/어/여 주세요」を使って言ってみよう。

① 내일도 오다　→　_____　明日も来てください。

② 좀 싸게 하다　→　_____　ちょっと安くしてください。

③ 사진 좀 찍다　→　_____　写真を撮ってください。

---

4. -세요/으세요　　-(し)てください、お-ください

「-세요/으세요」は、「先にお乗りください」のように相手に勧めたり、「ここにお書きください」のように丁寧に指示する場合に使われる表現です。接続の型は**받침有無型**です。語幹末の받침が「ㄹ」の場合は「ㄹ」받침が脱落します。

無　주다　→　주세요
くれる　　　ください

有　앉다　→　앉으세요
座る　　　　お掛けください

ㄹ↓　오래 살다　→　오래 사세요
長生きする　　　　長生きしてください

여기요, 물 좀 주세요.　　　　　すみません、お水ください。

여기 앉으세요.　　　　　　　ここにお掛けください。

할머니 오래오래 사세요.　　　おばあちゃん、ずっと長生きしてください。

* 但し、「먹다」「마시다」は、「드세요(召し上がってください)」という特別な形になります。

많이 드세요.　　　　　　　　たくさん召し上がってください。

한번 해 보자

「-세요/으세요」を使って言ってみよう。

① 여기 보다　　　→ ＿＿＿＿＿＿＿＿＿＿＿＿　ここを見てください。

② 노트에 쓰다　　→ ＿＿＿＿＿＿＿＿＿＿＿＿　ノートに書いてください。

③ 따라하다　　　→ ＿＿＿＿＿＿＿＿＿＿＿＿　後について言ってください。

④ 큰 소리로 읽다　→ ＿＿＿＿＿＿＿＿＿＿＿＿　大きい声で読んでください。

⑤ 손을 들다　　　→ ＿＿＿＿＿＿＿＿＿＿＿＿　手を上げてください。

5. -지 마세요　(し)ないでください

「-지 마세요」は「(し)ないでください」のように相手の行動を制止する表現です。「(し)なくてもいいですよ」「(し)ないほうがいいですよ」のようなソフトな意味でも用いられます。接続の型は**単純型**です。

마시다　　→　　마시지 마세요
飲む　　　　　　飲まないでください

먹다　　　→　　먹지 마세요
食べる　　　　　食べないでください

여기 있는 주스는 마시지 마세요.　　　ここにあるジュースは飲まないでください。

내 케이크 먹지 마세요.　　　　　　　　私のケーキ、食べないでください。

걱정하지 마세요.　　　　　　　　　　　心配しないでくださいね。

한 번 해 보 자

「-지 마세요」を使って言ってみよう。

① 가다　　　→　_____　行かないでください。

② 찍다　　　→　_____　撮らないでください。

③ 말하다　　→　_____　言わないでください。

④ 흔들다　　→　_____　振らないでください。

1. 次のような時に言う言葉を右の a〜 eの中から選んで言ってみよう。

① 友だちの家でおやつを出された時。　　a. 알겠습니다.

② 発表や報告を始める時。　　　　　　　b. 이만 마치겠습니다.

③ 発表や報告を終わる時。　　　　　　　c. 잘 모르겠습니다.

④ 先生の言うことを了解した時。　　　　d. 시작하겠습니다.

⑤ 先生の質問の答えがわからない時。　　e. 잘 먹겠습니다.

2. 次のような時、何と言いますか。語群を参考にして例のように言ってみよう。

 博物館は撮影禁止です。

여기서는 사진 찍지 마세요.　　　ここでは写真を撮らないでください。

밖에서 찍으세요.　　　　　　　　外でお撮りください。

① 病院は携帯電話禁止です。

② 廊下で遊んではいけません。

③ キャンプ場ではゴミを捨ててはいけません。

④ 図書館では騒いではいけません。

〈 語群 〉

전화하다 電話する　　전원을 끄다 電源を切る　　복도 廊下　　놀다 遊ぶ

캠프장 キャンプ場　　운동장 運動場　　쓰레기 ゴミ　　버리다 捨てる

집에 가지고 가다 家に持って帰る　　떠들다 騒ぐ　　조용히 静かに

이만 마치다 これで終わる　　시작하다 始める

3. 次のような時、何と言いますか。語群を参考にして例のように言ってみよう。

> 例　ペンを貸してほしい時
>
> 펜 좀 빌려 주세요.
> ちょっとペンを貸してください。

① 写真を撮ってほしい時

② 名前を書いてほしい時

③ ゆっくり話してほしい時

④ 地図を見せてほしい時

⑤ メールアドレスを教えてほしい時

〈 語群 〉

지도 地図	이름 名前	천천히 ゆっくり	지도 地図
메일 주소 メールアドレス		펜 ペン	보이다 見せる
빌리다 貸す	쓰다 書く	말하다 話す	찍다 撮る

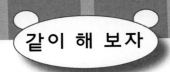

같이 해 보자

◈ リーダーを一人選び、リーダーは下の表現を自由に使ってみんなに指示してください。

내 말대로 하세요.
私の言うとおりしてください。

시작하겠습니다.	始めます。
들어 주세요.	聞いてください。
일어나세요.	立ってください。
일어나지 마세요.	立たないでください。
앉으세요.	座ってください。
앉지 마세요.	座らないでください。
박수를 치세요.	拍手をしてください。
박수를 치지 마세요.	拍手しないでください。
신발을 벗으세요.	靴を脱いでください。
신발을 신으세요.	靴を履いてください。
이만 마치겠습니다.	これで終わります。

말 ことば、言うこと   ~대로 ~のとおり   박수를 치다 拍手をする
신발 靴、はきもの   벗다 脱ぐ   신다[신따] 履く

発音の変化 Ⅰ

1 「ㅎ」の弱化・無音化

「ㄴ,ㅁ,ㅇ,ㄹ」反침の後の「ㅎ」は弱化します。また「ㅎ」反침は後に母音が続くと無音化します。

> 전화 ［저놔］ 電話　　　　결혼 ［겨론］ 結婚
>
> 좋아요 ［조아요］ いいです

① 많이 たくさん　　　② 싫어요 嫌いです　　　③ 쌓이다 積もる
④ 만화 漫画　　　　　⑤ 은행 銀行　　　　　　⑥ 열심히 熱心に

2 激音化

「ㄱ,ㄷ,ㅂ,ㅈ」と発音される反침の後に「ㅎ」が続くとき、または「ㅎ」反침の後に「ㄱ,ㄷ,ㅂ,ㅈ」が続くとき、「ㄱ,ㄷ,ㅂ,ㅈ」はそれぞれ「ㅋ,ㅌ,ㅍ,ㅊ」のように激音で発音されます。

> 백화점 ［배콰점］ デパート　　　입학 ［이팍］ 入学
>
> 많다 ［만타］ 多い　　　　　　　좋다 ［조타］ 良い

① 생각하다 考える　　② 따뜻하다 暖かい　　③ 복습하다 復習する
④ 이렇게 このように　⑤ 싫다 嫌いだ　　　　⑥ 그렇죠? そうでしょう?

바빠서 연락 못 했어요
忙しくて連絡できませんでした。

🔊 22

理由や事情を述べることができる

🔊 23~25

선생님 : 여러분, 숙제했어요?

학생들 : 네, 했어요!

유　타 : 선생님, 저는 지난번에 결석해서

　　　　숙제를 몰랐어요.

선생님 : 영철 씨, 유타 씨한테 연락 안 했어요?

영　철 : 죄송합니다. 연락 못 했어요.

　　　　축제 준비 때문에 바빠서요.

訳

先生	：みなさん、宿題しましたか。
生徒たち	：はーい、しました！
裕太	：先生、僕は前回、欠席したので宿題を知りませんでした。
先生	：ヨンチョルさん、裕太さんに連絡しなかったんですか。
ヨンチョル	：すみません。連絡できませんでした。文化祭の準備のため忙しくて。

語句

숙제하다〈宿題－－〉：宿題する　　　　　～들：～たち

지난번에〈－－番－〉：前回　　　결석하다〈欠席－－〉：欠席する

-여서：(し)て　　　　모르다 ㄹ動 知らない　　　연락〈連絡〉：連絡

죄송합니다：すみません　　축제〈祝祭〉：文化祭 (← 학교 축제)

준비〈準備〉：準備　　　　～ 때문에：～のせいで、～のため

바쁘다 으形 忙しい　　　-아서：(し)て　　　　～요：丁寧

表現のしくみ

결석해서 ← 결석하다＋여서

몰랐어요 ← 모르다 ㄹ動 ＋았＋어요

바빠서요 ← 으形 바쁘다＋아서＋요

発音

🔊 26

결석해서 [결써캐서]　　　연락 [열락]

안 했어요 [아내써요]　　　연락 못 했어요 [열랑모태써요]

表現の ポイント

1. ～ 때문에　～のため、～のせいで

「～때문에」は、名詞の後に付いて、理由・原因を表す表現です。

감기　　→　　감기 때문에
風邪　　　　　　　風邪のせいで

태풍　　→　　태풍 때문에
台風　　　　　　　台風のため

감기 때문에 시험을 못 봤어요.　　風邪のせいで試験を受けられませんでした。

태풍 때문에 휴교가 됐어요.　　台風のため休校になりました。

한 번 해 보자

「～ 때문에」を使って言ってみよう。

① 비 / 소풍을 못 갔어요

　　→ ＿＿＿＿＿＿＿＿＿＿＿＿＿＿＿＿　雨のせいで遠足に行けませんでした。

② 대학 입시 / 여행을 못 가요

　　→ ＿＿＿＿＿＿＿＿＿＿＿＿＿＿＿＿　大学入試のため旅行に行けません。

③ 그 일 / 머리가 아파요

　　→ ＿＿＿＿＿＿＿＿＿＿＿＿＿＿＿＿　そのことのせいで頭が痛いです。

2. −아서/어서/여서　　(し)て、(し)たので；理由・原因

「−아서/어서/여서」は、「お金がなくて買えなかった」「お会いできてうれしいです」のように、ある結果や感情が起きた場合に、その原因を表す表現です。接続の型は**陰陽型**です。
　語幹末の母音が陽母音(「ㅏ」・「ㅗ」)の場合は「아서」が、陰母音の場合は「어서」が付き、語幹末に받침がない場合は縮約も起こります。なお、「하다」は「해서」に変えます。

陽　　만나다　　(만나＋아서)　→　만나서
　　　会う　　　　　　　　　　　　会って

陰　　늦다　　　(늦＋어서)　→　늦어서
　　　遅れる　　　　　　　　　　　遅れて

하　　연습하다　(연합하＋여서)　→　연습해서
　　　練習する　　　　　　　　　　練習して

만나서 반갑습니다.　　　　　　お会いできてうれしいです。

늦어서 죄송합니다.　　　　　　遅れて申し訳ありません。

열심히 연습해서 우승했어요.　一生懸命練習して優勝しました。

＊本文のように「−아서/어서/여서」に「요」を付けて文を終わらせることもできます。「요」は
　丁寧なニュアンスを加えるものです。

＊「-았/었/였-」には「-아서/어서/여서」を続けることはできません。

우리 팀이 우승했어요＋기분이 좋아요.

→ 우리 팀이 우승해서 기분이 좋아요.　うちのチームが優勝したので気分がいいでです。

눈이 많이 왔어요＋못 갔어요.

→ 눈이 많이 와서 못 갔어요.　雪がたくさん降ったので行けませんでした。

한 번 해 보 자

「-아서/어서/여서」を使って言ってみよう。

① 시간이 없어요 / 끝까지 못 했어요.

→ _____

　　時間がなくて最後までできませんでした。

② 너무 맛있었어요 / 다 먹었어요.

→ _____

　　すごくおいしかったので全部食べました。

③ 옷을 많이 샀어요 / 돈이 없어요.

→ _____

　　服をたくさん買ったのでお金がありません。

④ 열심히 공부했어요 / 반에서 일등했어요.

→ _____

　　一生懸命勉強してクラスで一番になりました。

3. 으語幹用言

「아프다(痛い)」「예쁘다(可愛い)」のように語幹が母音の「으」で終わる用言を「으語幹用言」と言います。으語幹用言は、「아/어」で始まる**陰陽型**の語尾が付く場合、母音「**으**」**が脱落**し、「으」のひとつ前の母音によって「아」か「어」が付きます。「쓰다」のように語幹が1文字である場合は「어」が付きます。

陽　바쁘다 ＋ 아요　→　바빠요
　　忙しい　　　　(바빠＋아)　忙しいです

陰　슬프다 ＋ 어서　→　슬퍼서
　　悲しい　　　　(슬ㅍ＋어)　悲しくて

〈 語幹が1文字の場合 〉

쓰다 ＋ 었어요　→　썼어요
書く　　　　　(ㅆ＋어)　書きました

이번 주는 바빠요.	今週は忙しいです。
너무 슬퍼서 울었어요.	あまりに悲しく泣きました。
다 썼어요?	全部書きましたか。

한번 해 보자

＜　＞内の形にして言ってみよう。

① 귀걸이가 예쁘다 → ＜해요形＞———————————— イヤリングがかわいいです。

② 키가 크다　　　 → ＜해요形＞———————————— 背が高いです。

③ 참 기쁘다　　　 → ＜過去の해요形＞———————————— とてもうれしかったです。

④ 배가 아프다　　 → ＜過去の해요形＞———————————— お腹が痛かったです。

4. 르変則用言

　語幹が「르」で終わる用言の中で、「아/어」で始まる**陰陽型**の語尾が付くと「르」の母音部分「으」が脱落し、さらに「ㄹ」がひとつ増えて「-ㄹ라/ㄹ러」となる用言を「르変則用言」と言います。

陽　모르다 + 아서 (모ㄹ＋ㄹ＋아서) → 몰라서
　　わからない　　　　　　　　　　　　わからなくて

陰　부르다 + 어요 (부ㄹ＋ㄹ＋어요) → 불러요
　　歌う　　　　　　　　　　　　　　　歌います

주소를 몰라서 못 보냈어요.　　　住所がわからなくて送れませんでした。

다 같이 노래를 불러요.　　　　　みんな一緒に歌を歌います。

語幹が「르」で終わる用言の大部分が「르変則用言」です。

＊「르変則用言」には次のようなものがあります。

　　고르다 選ぶ　　　빠르다 速い　　　부르다 歌う、呼ぶ、満腹だ
　　자르다 切る　　　다르다 異なる　　　모르다 知らない、わからない

＊次の用言は「르変則用言」ではなく「으語幹用言」です。

　　따르다 従う　　　들르다 寄る

한 번 해 보 자

＜　＞内の形にして言ってみよう。

① 신칸센은 빠르다　→ ＜해요形＞＿＿＿＿＿＿＿＿＿　新幹線は速いです。

② 배가 부르다　　　→ ＜해요形＞＿＿＿＿＿＿＿＿＿　お腹がいっぱいです。

③ 가위로 자르다　→ ＜過去の해요形＞＿＿＿＿＿＿＿　はさみで切りました。

④ 옷을 고르다　　→ ＜過去の해요形＞＿＿＿＿＿＿＿　服を選びました。

64

좀 더 해 보자

1. 例のように「～ 때문에」を使って対話してみよう。

> 例　축제 준비
>
> A : 왜 그렇게 바빠요?　　　どうしてそんなに忙しいんですか。
> B : 축제 준비 때문에 바빠요. 文化祭の準備で忙しいんです。

① 아르바이트
② 기타 연습
③ 시험 공부

2. 例のように、遅れた理由を聞いて答えてみよう。

> 例　버스를 놓치다
>
> A : 왜 늦었어요?　　　なぜ遅れたのですか。
> B : 버스를 놓쳐서요.　バスに乗り遅れたからです。

① 늦잠을 자다
② 전철이 늦게 오다
③ 몸이 아프다
④ 자전거가 고장나다

기타 연습 ギターの練習　　　시험공부 試験勉強　　놓치다 逃す
늦잠을 자다 寝坊する　　　　전철 電車　　　　　늦게 遅く
몸이 아프다 体の具合が悪い　자전거 自転車　　　고장나다 故障する

3. ①から④の文の理由を語群より自由に選んで例のように言ってみよう。

> 例　가수가 되고 싶어요.　<理由 : 노래를 좋아하다>
>
> → 노래를 좋아해서 가수가 되고 싶어요.
>   歌が好きなので歌手になりたいです。

①

너무 좋아요.

②

슬퍼요.

③

화가 났어요.

④

깜짝 놀랐어요.

〈語群〉

a. 시험에서 만점을 받다　　b. 좋아하는 배우가 결혼하다

c. 한국에서 친구가 오다　　d. 남자(여자) 친구가 생기다

e. 오래간만에 친구를 만나다　f. 핸드폰을 잃어버리다

g. 말하기대회에서 일등하다　h. 동생이 거짓말을 하다

좋다 嬉しい	슬프다 悲しい	화가 나다 腹が立つ	깜짝 놀라다 びっくりする
만점 満点	배우 俳優	결혼하다 結婚する	생기다 できる
오래간만에 久しぶりに		잃어버리다 失くす	말하기대회 スピーチ大会
일등하다 一位になる		거짓말을 하다 嘘をつく	

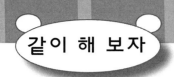
같이 해 보자

◈ 次はヨンチョルの＜ついてない一日＞です。例のように(a→b)理由を言ってみよう。

영철이의 기분이 안 좋은 날
ヨンチョルのついてない日

a. 축구 한일전 때문에 늦게 잤어요.

　　　　　　　　　　　サッカーの日韓戦のせいで遅く寝ました。

b. 늦게 일어났어요.　　　寝坊しました。

c. 지각했어요.　　　　　遅刻しました。

d. 선생님한테 혼났어요.　先生に怒られました。

e. 기분이 나빴어요.　　　気分がむしゃくしゃしました。

f. 친구하고 싸웠어요.　　友だちとケンカしました。

g. 마음이 안 좋았어요.　　落ち込みました。

h. 어제도 잠을 못 잤어요.　ゆうべも寝られませんでした。

例　a → b

축구 한일전 때문에 늦게 자서 늦게 일어났어요.

サッカーの日韓戦のせいで遅く寝たので寝坊しました。

1. b → c　　　　2. c → d　　　　3. d → e

4. e → f　　　　5. f → g　　　　6. g → h

먹어 본 적 있어요?
食べたことありますか。

🔊 27

경験の有無を表現することができる
何かに例えて簡単な説明をすることができる

🔊 28~30

영　　철 : 선아 씨, 오코노미야키 먹어 본 적 있어요?

선　　아 : 아뇨, 없는데요. 오코노미야키가 뭐예요?

영　　철 : 한국의 지짐이 같은 거예요. 진짜 맛있어요.

선　　아 : 그래요? 한번 먹어 보고 싶은데요.

訳

ヨンチョル	：ソナさん、お好み焼き、食べたことありますか。
ソナ	：いいえ、ありませんけど。お好み焼きって何ですか。
ヨンチョル	：韓国のチヂミみたいなものです。とってもおいしいですよ。
ソナ	：そうですか。一度、食べてみたいですね。

語句

오코노미야키：お好み焼き　　　　ー어 본 적 있다：(し)てみたことがある

-는데요：-んですけど　　　　　　～가 뭐예요?：～って何ですか

～의：～の　　　　　　　　　　　～ 같은 거：～みたいなもの

진짜<眞->：ほんとに、とっても　한번<-番>：一度

-어 보다：(し)てみる　　　　　　-은데요：-ですね

表現のしくみ

먹어 본 적 있어요? ← 먹다＋어 보다＋ㄴ 적 있다＋어요?

없는데요 ← 없다＋는데요

먹어 보고 싶은데요 ← 먹다＋어 보다＋고 싶다＋은데요

発音

🔊 31

없는데요 [엄는데요]　　　　한국의 [한구게]

表現の ポ イ ン ト

1. -아/어/여 보다　（し）てみる

「-아/어/여 보다」は、「（し）てみる」という試みを表す表現です。接続の型は**陰陽型**です。

陽	찾다 探す	→ （찾＋아）	찾아 봤어요? 探してみましたか
陰	입다 着る・はく	→ （입＋어）	입어 보세요 はいてみてください
하	하다 やる	→ （하＋여）	해 볼까요? やってみましょうか

방 열쇠가 없어요? 잘 찾아 봤어요?　部屋の鍵がないんですか？よく探してみましたか？

이 청바지 한번 입어 보세요.　このジーパン、一度はいてみてください。

같이 한번 해 볼까요?　一度、一緒にやってみましょうか。

한 번 해 보 자

「-아/어/여 보세요」を使って言ってみよう。

① 제주도에 한번 가다 → ＿＿＿＿＿＿＿＿＿　済州島に一度行ってみてください。

② 한번 만나다 → ＿＿＿＿＿＿＿＿＿＿＿　一度会ってみてください。

③ 이거 먹다 → ＿＿＿＿＿＿＿＿＿＿＿　これ食べてみてください。

④ 다시 한 번 생각하다 → ＿＿＿＿＿＿＿＿　もう一度考えてみてください。

70

2. - 아/어/여 본 적(이) 있다 · 없다   (し)たことがある・ない

「-아/어/여 본 적(이) 있다 · 없다」は、「(し)たことがある・ない」という経験の有無を表す表現です。接続の型は**陰陽型**です。

陽　가다　→　가 본 적 있어요?
　　行く　(가+아)　行ったこと ありますか?

陰　먹다　→　먹어 본 적 없어요
　　食べる　(먹+어)　食べたことが ありません

하　하다　→　해 본 적이 없어요
　　する　(하+여)　したことが ありません

제주도에 가 본 적이 있어요?　　済州道に行ったことがありますか。

떡볶이는 먹어 본 적이 없어요.　　トッポッキは食べたことがありません。

한국 사람하고 한국말로 이야기해 본 적이 없어요.

韓国人と韓国語で話をしたことがありません。

한 번 해 보자

「-아/어/여 본 적 있어요?」を使って言ってみよう。

① 비행기를 타다 → _____　飛行機に乗ったことがありますか。

② 지짐이를 만들다 → _____　チヂミを作ったことがありますか。

③ 친구하고 채팅하다 → _____　友だちとチャットしたことがありますか。

71

3. ~가/이 뭐예요? ~ 같은 거예요.　　~って何ですか。~みたいなものです。

「~って何ですか」の「~って」は「~가/이」で言い表します。そして、他のものに例えて「~みたいなもの」と言う場合は、「~같은 거(것)」と言います。

'KTX' 가 뭐예요?　　　　　　　「KTX」って何ですか。

－일본의 신칸센 같은 거예요.　　－日本の新幹線みたいなものです。

'넷토카훼' 가 뭐예요?　　　　　「ネットカフェ」って何ですか。

－한국의 피시방 같은 거예요.　　－韓国の「PCバン」みたいなものです。

한 번 해 보 자

「A: ~가/이 뭐예요?」 「B: ~같은 거예요」を使って言ってみよう。

① A:팥빙수 / B:일본의 가키고오리

　→ _____

　　　A:「パッピンス」って何ですか。B:日本のかき氷みたいなものです。

② A:센타시켄(センター試験) / B:한국의 수능시험

　→ _____

　　　A:「センター試験」ってなんですか。B:韓国の修学能力試験みたいなものです。

③ A:부카쓰(部活) / B:한국의 특별활동

　→ _____

　　　A:「部活」って何ですか。B:韓国の特別活動みたいなものです。

72

4. -는데요, -ㄴ데요/은데요　（し）ますけど、-んですけど

　第3課で動詞や存在詞の語幹に付ける「-는데((する)んだけど)」「-ㄴ데요/은데(-んだけど)」という語尾を学習しましたが、「-는데요」「-ㄴ데요/은데요」のように「요」が付いて文末に来ると余韻や含みを持たせた表現となります。

저 중국말은 못하는데요…….　私、中国語はできないんですけど…。

오늘은 시간이 없는데요.　今日は時間がないんですけど。

영철 씨하고는 초등학교 때부터 잘 아는데요.

ヨンチョルさんとは小学校の時からよく知ってますけど。

유타 아까 봤는데요.　裕太、さっき見ましたけど。

내일은 안 바쁜데요.　明日は忙しくないですけど。

우체국까지 굉장히 먼데요.　郵便局まですごく遠いんですけど。

한 번 해 보자

「-는데요」，「-ㄴ데요/은데요」を使って言ってみよう。

① 내일은 안 오다 → ＿＿＿＿＿＿＿＿＿＿＿　明日は来ないんですけど。

② 김치도 잘 먹다 → ＿＿＿＿＿＿＿＿＿＿＿　キムチもよく食べますけど。

③ 어제 전화했다 → ＿＿＿＿＿＿＿＿＿＿＿　昨日電話しましたけど。

④ 이 옷 좀 크다 → ＿＿＿＿＿＿＿＿＿＿＿　この服ちょっと大きいんですけど。

⑤ 치마가 좀 길다 → ＿＿＿＿＿＿＿＿＿＿＿　スカートがちょっと長いんですけど。

1. 例のように対話してみよう。

>
> 비빔밥을 먹다
>
> A : 비빔밥을 먹어 본 적이 있어요?
> ビビンバを食べたことがありますか。
>
> B1 : 네, 있어요.   はい、あります。
>
> B2 : 아뇨, 없어요.   いいえ、ありません。

① 편의점에서 아르바이트하다

② 연을 만들다

③ 한국 노래를 배우다

④ 한국 학생한테 메일을 쓰다

2. 例のように「-아/어/여 본 적이 있어요・없어요」を用いて対話してみよう。

>
> 한복을 입다
>
> A : 한복을 입어 본 적이 있어요?
> チマチョゴリを着たことがありますか。
>
> B : 아뇨, 없어요. 한번 입어 보고 싶어요.
> いいえ、ありません。一度着てみたいです。

① 팥빙수를 먹다   ② 홈스테이 하다

③ 김치를 만들다   ④ 민속촌에 가다

편의점 [펴니점] コンビニ	연 凧(たこ)	만들다 作る
팥빙수 カキ氷	홈스테이 ホームステイ	민속촌 民俗村

74

3. 例のように「〜가/이 뭐예요?」「〜같은 거예요」を用いて対話してみよう。

> 例
>
>
>
> '스카이쓰리(スカイツリー)'를 보러 가다
>
> / 같이 가다
>
> / N서울타워
>
> A: '스카이쓰리'를 보러 가는데 같이 가요.
>
> 　　「スカイツリー」を見に行くんだけど、一緒に行きましょう。
>
> B: '스카이쓰리'가 뭐예요?　「スカイツリー」って何ですか。
>
> A: N서울타워 같은 거예요.　Nソウルタワーみたいなものです。

① '오본(お盆)' 때 여행을 가다 / 같이 가다 / 한국의 추석

② 저녁에 잡채를 만들다 / 같이 먹다 / 일본의 '하루사메'

③ 우리 집에서 윷놀이를 하다 / 같이 놀다 / 일본의 '스고로쿠'

~때 ~の時　　　　　　여행을 가다 旅行に行く　　　　　　추석＜秋夕＞ 中秋
잡채 チャプチェ(料理名)　　　　　　윷놀이[윤노리] ユンノリ(遊び)、すごろく

같이 해 보자

◆ 語群の語彙をヒントにしながら、日本の文化や習慣を例のように対話しながら説明してみよう。

夏祭り

A : '夏祭り'가 있는데 같이 보러 가요.

夏祭りがあるんだけど、一緒に行きましょう。

B : '夏祭り'가 뭐예요?　　夏祭りって何ですか。

A : 여름에 하는 일본의 전통적인 축제예요. 불꽃놀이도 해요.

夏にする日本の伝統的なお祭りです。花火もするんですよ。

B : 와, 한번 보고 싶다!　　わあ、見たい！

① 部活　　　　　② 模擬店　　　　　③ おせち

〈 語群 〉

전통적인~ 伝統的な~　　　불꽃놀이 花火　　방과후 放課後
학교 축제 文化祭　　　　特별 활동 特別活動
가게 店　　　설날 元旦　　　음식 食べ物

76

発音の変化　Ⅱ

3−1　鼻音化Ⅰ

「ㄱ、ㄷ、ㅂ」と発音される받침の後に「ㄴ、ㅁ」が続くとき、「ㄱ、ㄷ、ㅂ」はそれぞれ[ㅇ、ㄴ、ㅁ]と発音されます。

> 한국말 [한궁말] 韓国語　　윷놀이 [윤노리] すごろく

① 학년 学年　　② 백만 百万　　③ 거짓말 うそ
④ 옛날 昔　　⑤ 십만 十万　　⑥ 앞날 将来

3−2　鼻音化Ⅱ

「ㅇ, ㅁ」받침の後に「ㄹ」が続くとき、「ㄹ」は[ㄴ]と発音されます。

> 동료 [동뇨] 同僚　　심리 [심니] 心理

① 장래 将来　　② 정리 整理　　③ 금리 金利　　④ 삼림 森林

3−3　鼻音化Ⅲ

「ㄱ、ㄷ、ㅂ」と発音される받침の後に「ㄹ」が続くとき、「ㄹ」は[ㄴ]と発音され、「ㄹ」の前にある「ㄱ、ㄷ、ㅂ」받침はそれぞれ[ㅇ、ㄴ、ㅁ]と発音されます。

> 국립 [궁닙] 国立　　협력 [혐녁] 協力

① 독립 独立　　② 석류 ざくろ　　③ 법률 法律　　④ 합리 合理

第7課

조금씩 잘라서 먹어요.
少しずつ切って食べるんです。　🔊32

食べ方をたずねたり説明したりすることができる、味の感想を言うことができる

🔊33~35

영　철 : 짜잔! 이게 오코노미야키예요.

선　아 : 이거 어떻게 먹어요?

영　철 : 이렇게 소스를 바르고 조금씩 잘라서 먹어요.

　　　　뜨거우니까 조심하세요.

선　아 : 앗, 뜨거워!

영　철 : 괜찮아요? ……. 어때요? 맛있어요?

선　아 : 네, 좀 특이하지만 맛있어요.

78

訳

ヨンチョル ： ジャジャーン！ これがお好み焼きです。
ソナ ： これ、どうやって食べるんですか。
ヨンチョル ： こんなふうにソースを塗って、少しずつ切って食べるんです。
　　　　　　　 熱いから、気をつけてくださいね。
ソナ ： あっ、熱い！
ヨンチョル ： 大丈夫ですか。…。どうですか。おいしいですか。
ソナ ： ええ、ちょっと変わってるけどおいしいですね。

語句

짜잔 : ジャジャーン　　　　　　이게 ←「이것이:これが」の縮約形

이거 ←「이것:これ」の縮約形　이렇게 : こんなふうに　　소스 : ソース

바르다 [르動] 塗る　　　　　조금씩 : 少しずつ　　　자르다 [르動] 切る

-아서 : (し)て;先行動作　　　뜨겁다 [ㅂ形] 熱い　　-으니까 : -から、-ので

조심하다<操心ー> : 気をつける　　　　　　　　　　앗 : あっ

괜찮다 : 大丈夫だ、構わない　어때요? : どうですか

특이하다<特異ー> : 変わっている　　　　　　-지만 : (する)けれども

表現のしくみ

바르고 ← 바르다＋고　　　　　　잘라서 ← 자르다 [르動] ＋아서
뜨거우니까 ← 뜨겁다 [ㅂ形] ＋으니까　뜨거워! ← 뜨겁다 [ㅂ形] ＋어
특이하지만 ← 특이하다＋지만　　　　맛있네요 ← 맛있다＋네요

＊ 해요形の「요」がなくなると非ていねい表現となり、友だち同士で話したり、驚いて声を
あげる場合などに使います。

発音

🔊 36

이렇게 [이러케]　　　　　조심하세요 [조시마세요]
괜찮아요 [괜차나요]

表現の ポイント

1. ㅂ変則用言

語幹末の받침が「ㅂ」で、**陰陽型**及び**받침有無型**の語尾が付くと、語幹末の「ㅂ」が「우」に変わる用言を「ㅂ変則用言」と言います。

〈 陰陽型の語尾の場合 〉

고맙다 + 어요 → 고마워요
ありがたい   (ㅂ+어→워) ありがとうございます

맵다 + 어서 → 매워서
辛い   (ㅂ+어→워) 辛くて

와 줘서 고마워요.　　　　　来てくれてありがとう。

매워서 못 먹어요.　　　　　辛くて食べられません。

한 번 해 보자

해요形にして言ってみよう。

① 문제가 어렵다　　→ _____ 問題が難しいです。

② 짐이 무겁다　　→ _____ 荷物が重いです。

③ 여행이 즐겁다　　→ _____ 旅行が楽しいです。

④ 경치가 아름답다 → _____ 景色が美しいです。

80

< 받침有無型の語尾の場合 >

가깝다 ＋ 은 ＋ 역　→　가까운 역
近い　　（連体形語尾）　駅　(ㅂ＋은→운)　近い駅

어렵다 ＋ 은 ＋ 문제　→　어려운 문제
難しい　　（連体形語尾）　問題　(ㅂ＋은→운)　難しい問題

제일 가까운 역이 어디예요?　　　いちばん近い駅はどこですか。

어려운 문제가 많았어요.　　　難しい問題が多かったです。

＊単純型の語尾が付くときは変化しません。

물김치는 안 맵고 시원해요.　　　水キムチは辛くなく、さっぱりしています。

한 번 해 보자

連体形語尾「−은」を使って言ってみよう。

① 어렵다 ＋문제　　→　_____ 難しい問題

② 무겁다 ＋짐　　　→　_____ 重い荷物

③ 즐겁다＋여행　　→　_____ 楽しい旅行

④ 아름답다 ＋경치 →　_____ 美しい景色

＊「곱다(きれいだ)」「돕다(助ける)」は、「받침有無型」の語尾が付く場合は「ㅂ＋으」が「우」に変わりますが、「陰陽型」の語尾が付く場合は「우」ではなく「오」に変わります。

곱다 ＋ 은 ＋ 피부　→　고운 피부
きれいだ　（現在連体形）　肌　　（ㅂ＋은→운）　きれいな肌

돕다 ＋ 아 주세요　→　도와 주세요
助ける　　-(し)てください　　（ㅂ＋아→와）　助けてください

＊「ㅂ変則用言」には、このほか次のようなものがあります。

덥다 暑い　　　　춥다 寒い　　　　무겁다 重い　　　가볍다 軽い

즐겁다 楽しい　　아름답다 美しい　　시끄럽다 うるさい　더럽다 *汚い*

＊「입다(着る)」「잡다(捕まえる)」「좁다(狭い)」などは、ㅂ変則用言ではなく規則活用する用言です。

갈아입다 → 갈아입으세요　　　잡다 → 잡았어요
着替える　　　着替えてください　　捕まえる　　捕まえました

좁다 → 좁으니까
狭い　　狭いから

✔

「きれいだ」と「かわいい」

아름답다 ：景色や絶世の美女など、万人が認める美しさ。
곱다 　　：髪や肌などがきめ細かく整っていること。気立てのよさ。
깨끗하다 ：汚れがなく、清潔なようす。
예쁘다 　：個々人の好みや気持ちにかなったきれいさ、かわいさ、愛らしさ。
귀엽다 　：小さく幼い人・動物・もののかわいさ。

2. -아서/어서/여서　-(し)て；先行動作

第5課で理由・原因を表す「-아서/어서/여서」を学習しましたが、この課では、後続の動作に影響を与えたり、後続の動作の前提となる「-아서/어서/여서」を学習します。接続の型は**陰陽型**です。

저기 앉아서 이야기해요.　　　　あそこに座って話しましょう。

어제 저녁은 제가 만들어서 먹었어요.

　　　　　　　　　　　昨日の夕食は自分で作って食べました。

한 번 해 보자

「-아서/어서/여서」を使って言ってみよう。

① 도서관에 가다 / 공부해요.

→ _____　図書館に行って勉強しましょう。

② 직접 만나다 / 이야기했어요.

→ _____　直接会って話しました。

③ 사진을 찍다 / 보낼 거예요.

→ _____　写真を撮って送りますから。

④ 서울역에서 내리다 / 친구를 만났어요.

→ _____　ソウル駅で降りて、友人に会いました。

3. -니까/으니까　(する)から、(する)ので；理由・根拠

「−니까/으니까」は、「時間がないから早くしてください」のように、話し手が提案や命令・勧誘などの働きかけ、主張などを行う場合に、その根拠を表したり理由付けをする場合に用いる表現です。接続の型は**받침有無型**。過去を表す「−았/었/였−」に付けることもできます。語幹末の받침が「ㄹ」の場合は、「ㄹ」받침が脱落します。

無	비가 오다	→	비가 오니까
	雨が降る		雨が 降るので

有	맛있다	→	맛있으니까
	おいしい		おいしいから

ㄹ↓	멀다	→	머니까
	遠い		遠いので

비가 오니까 우산을 가져가세요.　　雨が降っているから傘を持って行ってください。

맛있으니까 한번 먹어 보세요.　　おいしいから一度食べてみてください。

여기서 머니까 택시로 가세요.　　ここから遠いのでタクシーで行ってください。

열심히 했으니까 잘 될 거예요.　　一生懸命したのだから、うまくいきますよ。

한번해보자

「-니까/으니까」を使って言ってみよう。

① 눈이 오다 / 안 나가고 싶어요.

→ _____ 雪が降っているので、外出したくないです。

② 이 옷은 좀 작다 / 바꿔 주세요.

→ _____ この服は小さいので、取り替えてください。

③ 여기서 살다 / 이 곳 지리는 잘 알아요.

→ _____

ここに住んでいるので、この場所の地理はよく知っています。

④ 늦었다 / 빨리 가요.

→ _____ 遅いので、早く行きましょう。

4. -지만　(する)が、(する)けれども

「-지만」は「(する)が、(する)けれども」のように逆接の意味を表します。接続の型は**単純型**です。過去を表す「-았/었/였-」に付けることもできます。

배가 고프다　　→　　배가 고프지만
お腹が空いている　　　　　　お腹が空いているけれど

어렵다　　　　　→　　어렵지만
難しい　　　　　　　　　　　難しいけれども

배는 안 고프지만 먹어 보고 싶어요.　　　お腹は減ってないけど食べてみたいです。

한국어는 어렵지만 재미있어요.　　　　　韓国語は難しいけどおもしろいです。

책을 빌렸지만 시간이 없어서 못 읽었어요.

　　　　　　　　　　　　　　　　本を借りたけど、時間がなくて読めませんでした。

한 번 해 보 자

「-지만」を使って言ってみよう。

① 한국 요리는 맛있다 / 매워요.

　→ _____　韓国料理はおいしいけど辛いです。

② KTX는 요금은 비싸다 / 빨라요.

　→ _____　KTXは料金が高いけど速いです。

③ 친구는 많다 / 애인은 없어요.

　→ _____　友だちは多いですが恋人はいません。

④ 시간은 있었다 / 공부 못 했어요.

　→ _____　時間はありましたが、勉強できませんでした。

86

좀 더 해 보자

1. 次の食べ物はどうやって食べるでしょうか。例のように言ってみよう。

　비빔밥

A : 이거 어떻게 먹어요?
　　これ、どうやって食べるんですか。

B : 이렇게 잘 비벼서 먹어요.
　　こんなふうによく混ぜて食べます。

잘 비비다

① 지짐이

간장을 찍다

② 삼겹살

상추에 싸다

③ 스키야키

날계란을 찍다

④ 다코야키

소스를 바르다

〈語群〉調味料

소금 塩	간장 醤油	된장 みそ
양념장 たれ	설탕 砂糖	식초 酢
초장 酢じょうゆ	고추장 とうがらしみそ	후추 こしょう
마요네즈 マヨネーズ	케찹 ケチャップ	

〈語群〉食べ方

비비다 混ぜる	싸다 包む	찍다 (タレなどに)付ける
바르다 塗る	자르다 切る	끓이다 沸かす、煮る

상추 チシャ　　　날계란 [날게란] 生卵

2. 次の料理・食べものの味について、語群を参考に次の例のように対話してみよう。

> 例　다코야키 / 특이하다 / 맛있다
>
> A : <u>다코야키</u> 맛이 어때요?　　　　タコ焼きの味はどうですか。
>
> B : 좀 <u>특이하</u>지만 <u>맛있</u>어요.　　　ちょっと変わってるけど、おいしいです。

① カレーライス

② にぎりずし

③ ピザ

④ イチゴ大福

⑤ 納豆

> < 語群 > 味・温度
>
> 달다 甘い　　　 짜다 塩辛い　　 맵다 辛い　　　　 시다 すっぱい
> 쓰다 苦い　　　 달콤하다 甘ったるい　 느끼하다 脂っこい
> 고소하다 香ばしい　 시원하다 さっぱりしている
> 싱겁다 味がうすい　 뜨겁다 熱い　　　 차갑다 冷たい
> 맛있다 おいしい　　 맛없다 まずい　 냄새가 나다 臭いがする

3. 語群Aと語群Bより文を1つずつ選び、例のように「-니까/으니까 … -세요/으세요」という文を作りなさい。

> 例　비가 오다 / 우산 가지고 가다
>
> →　비가 오니까 우산 가지고 가세요.
>
> 雨が降ってるから、傘を持ってお行きなさい。

< 語群 A >	
내일 요리 실습을 하다	
시간이 없다	시험이 있다
오늘은 바쁘다	위험하다
중요하다	

< 語群 B >	
내일 오다	빨리 준비하다
앞치마 가지고 오다	
열심히 공부하다	노트에 쓰다
조심하다	

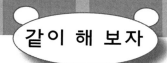

❖ 韓国の友だちを家に招いて食事をします。例のように食べ方について、語群を
参考にして対話してみよう。

しゃぶしゃぶ

A : 이거 어떻게 먹어요?　　　　　　　これ、どうやって食べるんですか。

B : 고기는 냄비에 넣고 10초 정도 기다려요. お肉は鍋に肉を入れて10秒ほど
　　　　　　　　　　　　　　　　　　待ちます。

　그리고 이렇게 소스를 찍어서 먹어요.　それから、こうやってたれをつけて
　　　　　　　　　　　　　　　　　　食べます。

　야채는 나중에 먹어요.　　　　　　　野菜はあとで食べます。

① 手巻き寿司　　　　　　　　　　② 卵かけごはん

〈 語群 〉

그리고 そして	나중에 あとで	～ 초 ～秒	정도 程度
냄비 鍋	고기 肉・魚	간장 しょうゆ	소스 ソース、たれ
달걀 卵	김 海苔	회 刺身	놓다 のせる
말다 巻く	깨다 割る	풀다 ほぐす	치다 かける

요리 실습 料理実習	시간 時間	시험 試験	오늘 今日
일 こと	우산 傘	앞치마 エプロン	내일 明日
빨리 早く	잘 よく	열심히 一生懸命	중요하다 重要だ
바쁘다 忙しい	위험하다 危ない	가지고 가다 持っていく	
가지고 오다 持ってくる		준비하다 準備する	조심하다 気をつける

신사이바시에 가고 싶은데 어떻게 가면 돼요?

心斎橋に行きたいんですけど、どう行けばいいですか。

🔊 37

道をたずねたり、教えたりすることができる

🔊 38~40

< 길에서 한국 사람끼리 이야기하고 있다 >

유　　타 : 한국 분이세요?

관광객1 : 어, 한국말 해요?

유　　타 : 네, 학교에서 배우고 있어요.

관광객1 : 그래요? 잘하네요.

관광객2 : 잘 됐다. 우리 지금 신사이바시에
　　　　　 가고 싶은데, 어떻게 가면 돼요?

유　　타 : 신사이바시요? 쭉 가시면 왼쪽에 지하철
　　　　　 입구가 있어요. 거기서 지하철을 타시면 돼요.

관광객1 · 2 : 고마워요.

訳

< 道で韓国人同士が話している >
裕太　　　：韓国の方ですか。
観光客１：あ、韓国語話せるんですか。
裕太　　　：はい、学校で習っているんです。
観光客１：そうですか。上手ですね。
観光客２：よかった。今、心斎橋に行きたいんだけど、どう行けばいいですか。
裕太　　　：心斎橋ですか。まっすぐ行かれると左に地下鉄の入口があります。
　　　　　　そこで地下鉄に乗られたらいいですよ。
観光客1・2：ありがとう。

語句

길：道　　　　〜끼리：〜どうし　　　　이야기하다：話す　　-고 있다：(し)ている
한국 분<韓國ー>：韓国の方　　　　〜이세요?：〜でいらっしゃいますか
한국말<韓國ー>：韓国語　　　　잘하다：上手だ、うまい　　　-네요：-ですね
잘 됐다：(ちょうど)よかった　　지금<只今>：今　　　　신사이바시：心斎橋
-면 돼요?：(す)ればいいですか　　쭉：まっすぐ　　　　-시-；尊敬
-면：(す)れば　　　　왼쪽：左　　　지하철<地下鐵>：地下鉄
입구<入口>：入口　　타다：乗る　　　-면 돼요：(す)ればいいです

表現のしくみ

이야기하고 있다 ← 이야기하다 + 고 있다

〜이세요? ← 〜이다 + 세요?　　배우고 있어요 ← 배우다 + 고 있다

잘하네요 ← 잘하다 + 네요　　　가고 싶은데 ← 가다 + 고 싶다 + 은데

가면 돼요? ← 가다 + 면 되다 + 어요?　　　가시면 ← 가다 + 시 + 면

타시면 돼요 ← 타다 + 시 + 면 되다 + 어요

＊「한국말 해요?(韓国語話せるんですか)」のように、「하다」は「できる」という意味でも使
われます。

🔊 40

発音

한국말 [한궁말]　　　　잘하네요 [자라네요]

表現の ポイント

1. ～세요/이세요(?)　～でいらっしゃいます(か)

「～세요/이세요(?)」は「～でいらっしゃいます(か)」のように目上の人のことを尋ねたり説明する場合に使う表現です。名詞の最後に**받침がない場合**は「세요(?)」が、**받침がある場合**は「이세요(?)」が付きます。

無 어머니　→　어머니세요?
お母さん　　　　お母さんでいらっしゃいますか

有 한국 분　→　한국 분이세요
韓国の方　　　　韓国の方でいらっしゃいます

유키 씨 어머니세요?　　　　有紀さんのお母さんでいらっしゃいますか。

우리 선생님은 한국 분이세요.　　私たちの先生は韓国の方です。

한 번 해 보 자

「～세요/이세요?」を使って言ってみよう。

① 일본 분　　　　　　→　＿＿＿＿＿＿＿＿＿＿＿＿＿＿　日本の方ですか。

② 영철 씨 아버님　　→　＿＿＿＿＿＿＿＿＿＿＿＿＿＿
　　　　　　　　　　　　　ヨンチョルさんのお父さんでいらっしゃいますか。

③ 저 분이 교장 선생님　→　＿＿＿＿＿＿＿＿＿＿＿＿＿
　　　　　　　　　　　　　あの方が校長先生でいらっしゃいますか。

92

2. 用言の尊敬形の作り方　-시/으시-

　用言の語幹に「-시/으시-」を付けると「-(ら)れる」「お〜になる」のように尊敬形になります。接続の型は**받침有無型**です。語幹末の받침が「ㄹ」の場合は、「ㄹ」**받침が脱落**します。

無	바쁘다 → 바쁘시다
	忙しい　　　　お忙しい
有	읽다　　→　읽으시다
	読む　　　　お読みになる
ㄹ↓	살다　　→　사시다
	住む　　　　住んでおられる

바쁘신데 와 주셔서 감사합니다.　お忙しいのに来てくださってありがとうございます。

이 책 읽으셨어요?　　　　　　　　この本、読まれましたか。

할머니는 도쿄에 사시고 외할머니는 지바에 사세요.

　　　　　　　　　父方の祖母は東京に住んでいて、母方の祖母は千葉に住んでいます。

＊「-시/으시-」＋「-어요」が「-세요/으세요」です。

어디 가세요?　　　　　　　どこに行かれますか。

그 할머니는 평소에도 한복을 입으세요.

　　　　　　　そのおばあさんは普段もチマチョゴリを着ておられます。

尊敬形にして言ってみよう。

① 가다 → _____ 行かれる

② 입다 → _____ 着られる、お召しになる

③ 알다 → _____ おわかりだ、ご存知だ

✓

絶対敬語と相対敬語

　日本語では目上の人のことを話す場合、聞き手が身内か外部の人かによって敬語を使ったり使わなかったりしますが、韓国語では目上の人など敬語を使う相手のことを言い表す場合は聞き手が誰であっても敬語で言い表します。

　例えば、社長の不在を言うとき、日本語では聞き手が社内の人か外部の人かによって表現が違いますが、韓国語では聞き手が社内の人であっても社外の人であっても、「사장님은 지금 안 계십니다」のように社長の不在を尊敬語で言い表します。

　日本語のような敬語を相対敬語、韓国語のような敬語を絶対敬語と言います。

　　사장님은 지금 안 계십니다.　　＜社外の人に＞ 社長は今おりません。

　　　　　　　　　　　　　　　　　　＜社内の人に＞ 社長は今いらっしゃいません。

3. -네요　(し)ますね、-ですね

「-네요」は「(し)ますね、-ですね」という軽い感嘆を表わす語尾です。接続の型は**単純型**です。語幹末の받침が「ㄹ」の場合は「ㄹ」받침が脱落して「네요」が付きます。過去を表わす「-았/었/였-」に付けることもできます。

예쁘다　→　예쁘네요
すてきだ　　　　すてきですね

멋있다　→　멋있네요
かっこいい　　　　かっこいいですね

ㄹ↓ 길다　→　기네요
長い　　　　長いですね

악세서리가 예쁘네요.	アクセサリーがすてきですね。
헤어스타일이 멋있네요.	髪型がかっこいいですね。
손톱이 기네요.	爪が長いですね。
참 잘 됐네요.	本当に良かったですね。

한 번 해 보자

「-네요」を使って言ってみよう。

① 노래를 잘하다　→　＿＿＿＿＿＿＿＿＿＿　歌がうまいですね。

② 경치가 좋다　→　＿＿＿＿＿＿＿＿＿＿　景色がいいですね。

③ 아무도 없다　→　＿＿＿＿＿＿＿＿＿＿　誰もいないですね。

④ 잘 어울리다　→　＿＿＿＿＿＿＿＿＿＿　よく似合いますね。

4. -면/으면 (す)れば、(し)たら

「−면/으면」は、「(す)れば、(し)たら」という意味です。接続の型は**받침有無型**です。語幹末の받침が「ㄹ」の場合、「ㄹ」**받침は脱落せずに**「면」が付きます。

無	가다 行く	→	가면 行けば
有	있다 ある	→	있으면 あれば
ㄹ↓	알다 わかる	→	알면 わかれば

쪽 가면 우체국이 있어요.   まっすぐ行くと郵便局があります。

시간이 있으면 놀러 오세요.   時間があれば遊びに来てください。

많이 만들면 저한테도 하나 주세요.   たくさん作ったら私にもひとつください。

한 번 해 보자

「−면/으면」を使って 言ってみよう。

① 수첩을 보다 / 알다 → _____ 手帳を見ればわかります。

② 코트를 입다 / 안 춥다

  → _____ コートを着れば寒くありません。

③ 역에서 멀다 / 버스로 가다

  → _____ 駅から遠ければバスで行きましょう。

96

5. -면/으면 되다 （す）ればよい

「-면/으면 되다」は、「（す）ればよい」という意味です。
「어떻게 -면/으면 돼요?」は、「どのように（す）ればいいですか。」という方法をたずねる表現になります。

노트를 보면 돼요.	ノートを見ればいいです。
그 신문 기사를 읽으면 돼요?	その新聞記事を読めばいいですか。
그것만 알면 돼요.	それだけわかればいいです。

한 번 해 보 자

「-면/으면 돼요」를 사용해서 言ってみよう。

① 인터넷으로 신청하다

→ ＿＿＿＿＿＿＿＿＿＿＿＿＿＿＿＿＿＿＿ インターネットで申し込めばいいです。

② 6002번 버스를 타다

→ ＿＿＿＿＿＿＿＿＿＿＿＿＿＿＿＿＿＿＿ 6002番バスに乗ればいいです。

③ 5분 전까지 오다 → ＿＿＿＿＿＿＿＿＿＿＿＿＿＿ 5分前までに来ればいいです。

④ 핸드폰만 있다 → ＿＿＿＿＿＿＿＿＿＿＿＿＿ 携帯電話さえあればいいです。

道案内に関する言葉

쭉:まっすぐ	왼쪽:左	오른쪽:右	이쪽:こっち	그쪽:そっち
저쪽:あっち	길:道	건너편:向かい側	바로 옆:すぐ横	근처〈近處〉:近く
~에 있다:~にある		~로/으로 가다:~のほうに行く		
~를/을 타다:~に乗る		~로/으로 갈아타다: ~に乗り換える		

좀 더 해 보자

1. 次の状況にふさわしい感想を語群から選び、「-네요」を用いて表現してみよう。

> 例　友人の作った料理がおいしかった。
>
> → 참 맛있네요.
>
> 　本当においしいですね。

① 店員にすすめられた服の値段が高かった。

② テレビに出ているコメディアンがとても面白かった。

③ 冬休みにソウルに行ったら、とても寒かった。

④ 韓国の友人が日本の歌手の名前をたくさん知っているのを聞いた。

⑤ 明洞(명동)に行ったら人がとても多かった。

〈 語群 〉

좀 비싸다	와, 진짜 춥다	많이 알다
사람이 정말 많다	저 사람 진짜 재미있다	

2. 韓国朝鮮語が上手になるにはどうしたらいいか、下の語群を参考に例のように言ってみよう。

> 例　한국 친구하고 이야기하면 돼요.　韓国人の友だちと話をすればいいんですよ。

〈 語群 〉

영화	드라마	만화 漫画	노래　대사 セリフ
가사 歌詞	많이	사귀다 付き合う　외우다 覚える	
이야기하다 話す		열심히 듣다 聞く(p149参考)	

98

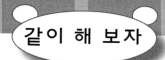
같이 해 보자

◈ あなたは今、駅にいます。下記の地図を見て、後の質問に答えてみよう。

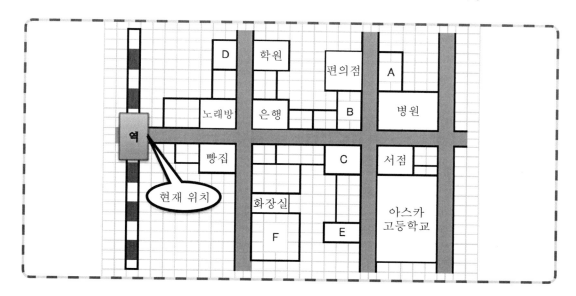

Ⅰ. 次の会話を読んで、たずねている場所はどこにあるか、A~Fから選んでみよう。

例　A: 저기요, 공원이 어디 있어요?
　　B: 저기 빵집이 보이죠? 그 빵집에서 오른쪽으로 가세요.
　　　 그럼 왼쪽에 있어요.　　　　　　　　　　　　　　（答え：F）

① 　A: 저기요, 우체국이 어디 있어요?
　　 B: 쭉 가면 왼쪽에 병원이 있어요. 우체국은 그 병원 옆에 있어요.

② 　A: 저기요, 마트가 어디 있어요?
　　 B: 쭉 가면 오른쪽에 서점이 있어요. 그 서점 바로 옆에 아스카 고등학교
　　　 가 있어요. 마트는 아스카고등학교 건너편에 있어요.

Ⅱ. p. 97「道案内に関することば」を参考にして、次の場所をたずねて、どこにあるか
　　答えてみよう。

　　① 은행　　　　　　② 학원　　　　　　③ 편의점

현재위치 現在地　　　학원 塾　　　　은행 銀行　　　　병원 病院
서점 書店　　　　　우체국 郵便局　　마트 マート、スーパー　보이다 見える

第2章

韓国を訪れて

사진 좀 찍어 주시겠어요?
ちょっと写真、撮っていただけませんか。 🔊 42

丁寧に依頼したり許可を求めたりすることができる

🔊 43~45

< 박물관에서 >

유　타 : 저기요, 사진 좀 찍어 주시겠어요?

안내원 : 여기서는 사진 찍으면 안 돼요.

유　타 : 그럼 건물 앞에서는 찍어도 돼요?

선　아 : 건물 밖이니까 괜찮죠?

안내원 : 네. 이쪽으로 오세요.

< 밖에 나가서 >

안내원 : 자, 카메라 주세요.

유　키 : 네. 여기 누르시면 돼요.

안내원 : 네. 자, 웃으세요. 하나, 둘, 셋! 김치!

유타, 유키 : 김치~!

訳

< 博物館で >
裕太　　：あのう、写真、撮っていただけますか。
案内員：ここでは写真、撮ってはいけません。
裕太　　：じゃあ、建物の前では撮ってもいいですか。
ソナ　　：建物の外だから構わないでしょう？
案内員：ええ。こちらへどうぞ。
< 外に出て >
案内員：じゃあ、カメラ、ください。
有紀　　：はい。ここ押していただければ結構です。
案内員：はい。さあ、笑ってくださいね。はい、チーズ！
裕太、有紀：チーズ！

語句

박물관〈博物館〉：博物館　　　　　　　저기：あのう、すみません

찍다：撮る　　　　　-어 주시겠어요？：(し)ていただけますか

안내원〈案内員〉：案内員　　　　　　-으면 안 되다：(し)てはいけない

건물〈建物〉：建物　　-어도 되다：(し)てもよい　　　　밖：外

-죠？：-でしょう？　　이쪽：こちら　　　～으로：～に、～の方へ

나가다：出る、出ていく　카메라：カメラ　　누르다 [ㄹ動] 押す

웃다：笑う　　　　김치；写真を撮るときの「チーズ」に当たることば。

表現の しくみ

찍어 주시겠어요？ ← 찍다＋어 주시겠어요？

찍으면 안 돼요 ← 찍다＋으면 안 되다＋어요

찍어도 돼요？ ← 찍다＋어도 되다＋어요？

밖이니까 ← 밖＋이다＋니까　　팬찮죠？ ← 괜찮다＋죠？

나가서 ← 나가다＋어서

누르시면 돼요 ← 누르다＋시＋면 되다＋어요

웃으세요 ← 웃다＋으세요

発音

🔊 46

박물관 [방물관]　　괜찮죠 [괜찬쵸]

表現の ポ イ ン ト

1. −아/어/여 주시겠어요?　(し)ていただけますか、(し)てくださいませんか

第4課で学習した「−아/어/여 주세요」は「(し)てください」と相手に依頼する表現ですが、「−아/어/여 주시겠어요?」は「(し)ていただけますか、(し)てくださいませんか」のように、より丁寧に依頼する表現です。接続の型は**陰陽型**です。

陽	오다 来る	→ (오＋아)	와 주시겠어요? 来ていただけますか
陰	보이다 見せる	→ (보이＋어)	보여 주시겠어요? 見せてくださいませんか
하	안내하다 案内する	→ (하＋여)	안내해 주시겠어요? 案内していただけますか

내일 다시 와 주시겠어요?　　　明日、もう一度来ていただけませんか。

그 책 좀 보여 주시겠어요?　　　その本をちょっと見せてくださいませんか。

서울을 안내해 주시겠어요?　　　ソウルを案内していただけませんか。

한 번 해 보 자

「−아/어/여 주시겠어요?」を使って言ってみよう。

① 가르치다 → ＿＿＿＿＿＿＿＿＿＿＿＿＿＿　　　教えていただけませんか。

② 전화하다 → ＿＿＿＿＿＿＿＿＿＿＿＿＿＿　　　電話してくださいませんか。

③ 쓰다　　　 → ＿＿＿＿＿＿＿＿＿＿＿＿＿＿　　　書いてくださいませんか。

2. -아/어/여도 되다　（し）てもいい

「-아/어/여도 되다」は「（し）てもいい」という許可の意味を表す表現です。接続の型は**陰陽型**です。

陽　가다　　→　가도 돼요?
行く　　（가+아）　行ってもいいですか

陰　버리다　→　버려도 돼요
捨てる　（버리+어）　捨ててもいいです

하　전화하다　→　전화해도 돼요?
電話する　（하+여）　電話してもいいですか

먼저 가도 돼요?　　　　　　　　先に帰ってもいいですか。

남은 건 다 버려도 돼요.　　　　残ったものは全部捨ててもいいですよ。

지금 전화해도 돼요?　　　　　　今、電話してもいいですか。

「–아/어/여도 돼요?」を使って言ってみよう。

① DVD를 보다　→　_____　DVDを見てもいいですか。

② 코트를 벗다　→　_____　コートを脱いでもいいですか。

③ 면세점에서 쇼핑하다

　　　　　　→　_____　免税店で買い物してもいいですか。

④ 모자를 쓰다　→　_____　帽子をかぶってもいいですか。

3. –면/으면 안 되다 （し）てはいけない

　第8課で学習した「–면/으면 되다」は「（す）ればよい」という意味ですが、「–면/으면 안 되다」は、「（し）てはいけない」という禁止の意味を表す表現です。接続の型は**받침有無型**です。語幹末の받침が「ㄹ」の場合、「**ㄹ」받침は脱落せず**に「면 안 되다」がつきます。

無	따라가다	→	따라가면 안 돼요
	ついて行く		ついて行ってはいけません
有	앉다	→	앉으면 안 돼요
	座る		座ってはいけません
ㄹ	놀다	→	놀면 안 돼요
	遊ぶ		遊んではいけません

모르는 사람을 따라가면 안 돼요.　　　知らない人について行ってはいけません。

귀빈석이니까 앉으면 안 돼요.　　　　来賓席だから座ってはいけません。

밤늦게까지 놀면 안 돼요.　　　　　夜遅くまで遊んではいけません。

여기서 사진 찍으면 안 돼요?　　　ここで写真撮ってはいけませんか。

한 번 해 보 자

「–면/으면 안 돼요」を使って言ってみよう。

① 거짓말을 하다　→ _____　嘘をついてはいけません。

② 또 늦다　　　　→ _____　また遅れてはいけません。

③ 밤늦게 휘파람을 불다

　　→ _____　夜遅くに口笛を吹いてはいけません。

④ 큰 소리로 이야기하다

　　→ _____　大声で話してはいけません。

⑤ 교실에서 음식을 먹다

　　→ _____　教室で飲食してはいけません。

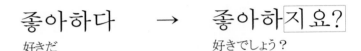

4. -지요?/죠?　-でしょう？、-でしょ？

「-지요?」は、「-でしょう？」のように、同意を求めたり、物事を確認する時に使います。「-죠?」と縮約することもあります。接続の型は**単純型**です。過去を表す「-았/었/였-」に付けることもできます。

좋아하다	→	좋아하지요?
好きだ		好きでしょう？
맛있다	→	맛있죠?
おいしい		おいしいでしょ？
재미있었다	→	재미있었죠?
面白かった		面白かったでしょ？

한국 음식을 좋아하지요?　　　韓国料理が好きでしょう？

오사카는 음식이 다 맛있죠?　　大阪は食べ物がみんなおいしいでしょ？

그 영화 재미있었죠?　　　　　その映画、おもしろかったでしょ？

한 번 해 보 자

「-죠?」を使って言ってみよう。

① 오늘은 약속 없다 → _____　今日は約束ないでしょう？

② 배고프다　　　　 → _____　お腹が空いたでしょ？

③ 아주 쉽다　　　　 → _____　とても簡単でしょ？

④ 스키야키 맛있었다 → _____　すき焼きおいしかったでしょ？

108

1. 例のように丁寧に依頼してみよう。

 계산 / 하다

A : 저기요, 계산 좀 해 주시겠어요?

すみません、お会計していただけませんか。

B : 네, 알겠습니다.　はい、承知しました。

① 길 / 가르치다　　　② 시간 / 알리다
③ 저 가방 / 보이다　　④ 펜 / 빌리다

＊「빌리다」は単独では「借りる」の意味となり「주다」が付くと「貸す」の意味になります。

2. 次の絵について例のように言ってみよう。

사진 찍다

여기서 사진 찍으면 안 돼요.

ここで写真を撮ってはいけません。

① 　　② 　　③ 　　④

음식을 먹다　　이야기하다　　떠들다　　핸드폰 쓰다

계산 お会計　　　길 道　　　가르치다 教える　　알리다 知らせる、教える
보이다 見せる　　펜 ペン　　빌리다 貸す　　　떠들다 騒ぐ

109

3. 例のように対話してみよう。

냉장고 안에 있는 거 먹다
冷蔵庫の中にあるものを食べる

A : 냉장고 안에 있는 거 먹어도 돼요?
冷蔵庫の中にあるもの食べてもいいですか。

B1 : 네, 드세요.　　ええ、どうぞ。
B2 : 아뇨, 먹으면 안 돼요.　いいえ、食べてはいけません。

① TV를 켜다
② 안에 들어가다
③ 여기 앉다
④ 이거 쓰다

냉장고 冷蔵庫　　　드세요 召し上がれ　　켜다 (TV、明りなどを)つける
들어가다 入る　　　쓰다 使う

◈ ホームステイ先での次のような場面で、友だちに言う場合や、相手の親に言う場合、
どのように依頼したらよいか話し合ってみよう。

① コンピュータを使いたいとき。

② ドライヤーを使いたいとき。

③ 朝、お風呂に入りたいとき。

④ 日本に国際電話をかけたいとき。

⑤ 朝6時に起こしてほしいとき。

⑥ スーパーに一緒に行ってほしいとき。

✓

* 「ー(し)て来てくれる」「ー(し)て行ってくれる」は次のように特別な表現をします。

사다 주다 : 買って来てくれる	가져다 주다 : 持って来てくれる
데려다 주다 : 連れて行ってくれる	태워다 주다 : 乗せて行ってくれる

例えば、海苔を買って来てほしいとき、

김 좀 사다 주시겠어요?　　　海苔を買ってきてくださいませんか。

드라이기 ドライヤー　　목욕하다 入浴する　　국제전화 国際電話　　깨우다 起こす
가르치다 教える　　김 海苔

매운 거 먹을 수 있어?

辛いもの、食べられる？

🔊 47

料理についてたずねたり、注文したりすることができる

🔊 48~50

점　원 : 어서 오세요. 뭐 드릴까요?

영　철 : 뭐가 제일 맛있어요?

점　원 : 다 맛있는데 순두부찌개가 인기 있어요.

유　타 : 순두부찌개요? 그거 맵지 않아요?

점　원 : 좀 매워요.

영　철 : 유타, 너 매운 거 먹을 수 있어?

유　타 : 매운 건 좀…… .

점　원 : 그럼 갈비탕은 어때요? 갈비탕은 전혀 안 매워요.

영　철 : 그럼 우리 갈비탕 먹자.

　　　　갈비탕 두 개하고 파전 하나만 주세요.

訳

店員	：いらっしゃいませ。何にいたしましょうか。
ヨンチョル	：何が一番おいしいですか。
店員	：みんなおいしいですけど、スンドゥブチゲが人気ありますよ。
裕太	：スンドゥブチゲですか。それ、辛くないですか。
店員	：ちょっと辛いですね。
ヨンチョル	：裕太、お前、辛いの食べられる？
裕太	：辛いのはちょっと・・・。
店員	：じゃあ、カルビスープはどうですか。カルビスープは全然辛くないですよ。
ヨンチョル	：じゃあ、カルビスープ食べようよ。カルビスープ二つとパジョンひとつだけください。

語句

점원<店員>　　　　　어서 오세요：いらっしゃいませ

드리다：さしあげる　　제일<第一>：一番　　순두부찌개：スンドゥブチゲ

인기<人気>：人気　　맵다：辛い　　-지 않아요?：-ないですか

건 ←「것은:ものは」の縮約形　　너：お前

-을 수 있다：(する)ことができる　　-어；반말의 어미

갈비탕：カルビタン、カルビスープ　　전혀：全然(-ない)

-자：(し)よう；반말의 어미　　～만：～だけ　　파전：パジョン、ネギ焼き

表現のしくみ

맵지 않아요? ← 맵다＋지 않아요?　　　매워요 ← 맵다＋어요

매운 ← 맵다＋은

먹을 수 있어? ← 먹다＋을 수 있다＋어　　먹자 ← 먹다＋자

発音

🔊 51

맛있는데 [마시인는데]　　　인기 [인끼]

맵지 않아요 [맵찌아나요]　　먹을 수 있어 [머글쑤이써]

전혀 [저녀]

表現の ポ イ ン ト

1. -지 않다　(し)ない、-(く)ない

「-지 않다」は「(し)ない、-(く)ない」のように否定の意味を表します。動詞・形容詞の前に付ける「안 -」は会話で多く使われますが、「-지 않다」は話しことば・書きことばの両方に使われ、「맵지도 않고(辛くもなく)」「좋아하지는 않아요(好きではありません)」のように、助詞「～도(～も)」「～는(～は)」等を入れて使われることもあります。接続の型は**単純型**です。

마시다	→	마시지 않아요
飲む		飲みません
덥다	→	덥지도 않죠?
暑い		暑くもないでしょう？
연습하다	→	연습하지 않았어요
練習する		練習しませんでした

밤에는 커피를 마시지 않아요.　　夜はコーヒーを飲みません。
오늘은 그렇게 덥지도 않죠?　　今日はそんなに暑くもないでしょう？
어제는 연습하지 않았어요.　　昨日は、練習しませんでした。

한 번 해 보 자

「-지 않아요」を使って言ってみよう。

① 주말에는 바쁘다 → ＿＿＿＿＿＿＿＿＿＿＿＿　週末は忙しくありません。

② 여기서 멀다　　→ ＿＿＿＿＿＿＿＿＿＿＿＿　ここから遠くありません。

③ 실은 스포츠를 좋아하다

　　→　＿＿＿＿＿＿＿＿＿＿＿＿＿　実はスポーツが好きではありません。

2. -ㄹ/을 수 있다・없다 （する）ことができる・できない

「-ㄹ/을 수 있다・없다」は、「(する)ことができる・できない」という意味を表します。以前学習した「못-」は「-ㄹ/을 수 없다」と言い換えることができます。接続の型は**받침有無型**です。語幹末の받침が「ㄹ」の場合は、**「ㄹ」받침が脱落**して「ㄹ 수 있다・없다」がつきます。「수」は[쑤]と濃音で発音します。

無	가다 行く	→	갈 수 있어요? 行くことができますか？
有	찍다 撮る	→	찍을 수 없어요 撮ることができません
ㄹ↓	만들다 作る	→	만들 수 없었어요 作ることができませんでした

일요일이면 갈 수 있어요? 　日曜日なら行くことができますか。

미술관에서는 사진을 찍을 수 없어요. 　美術館では写真を撮ることができません。

주말까지 작품을 만들 수 없었어요. 　週末までに作品を作ることができませんでした。

한 번 해 보자

「-ㄹ/을 수 있어요?」を使って言ってみよう。

① 한복을 입어 보다 → _____ 　チマチョゴリを着てみることができますか。

② 인터넷으로 예약하다

　→ _____ 　ネットで予約することができますか。

③ 외국에서 혼자서 살다

　→ _____ 　外国で一人で暮らすことができますか。

115

3. ～만　～だけ、～ばかり

「～만」は「～だけ、～ばかり」という限定の意味を表します。名詞の最後に受けが有っても無くても「～만」を使います。

하나　→　하나만　　잠깐　→　잠깐만
ひとつ　　　ひとつだけ　　ちょっと　　　ちょっとだけ

하나만 주세요.　　　　　ひとつだけ、ください。
잠깐만 기다려 주세요.　　ちょっとだけ待ってください。

한 번 해 보자

「～만」を使って言ってみよう。

① 세 개 / 남았어요　→ _____ 三個だけ残りました。

② 나 / 몰랐어요　　→ _____ 私だけ知りませんでした。

③ 이것 / 주세요　　→ _____ これだけください。

④ 컵라면 / 먹으면 안 돼요

　→ _____ カップラーメンばかり食べてはいけません。

4. 반말　ため口

　友だち同士で話をするときは、日本語の「ため口」にあたる「반말」を使います。「해요形」の「요」を取れば反말になります(パターン1)が、その他にも次のような形(パターン2)があります。

	パターン1	パターン2	パターン2の接続の型
平叙(するよ、するね)	가, 먹어 있어, 예뻐	간다, 먹는다, 있다, 예쁘다	動詞はパッチム有無型 動詞以外は単純型
疑問(する?)	가?, 먹어? 있어?, 예뻐?	가니? 먹니? 있니? 이쁘니?	単純型
勧誘(しよう)	가, 먹어	가자, 먹자	単純型
命令(して、しろ)	가, 먹어	가라, 먹어라	陰陽型

너 비빔밥 좋아해? 　　　君、ビビンバ好き?

－응, 좋아해. 　　　－うん、好きだよ。

지금 뭐 하니? 　　　いま何してる?

－숙제하고 있어. 　　　－宿題やってるんだ。

그래? 그럼 같이 하자. 　　　そうなの?じゃ、一緒にやろうよ。

잘 가라. 　　　気を付けてね。

－응, 내일 보자. 　　　－うん、明日またね。

使い方の注意点

・仲の良い友だちや家族の間で使います。
・先生や街で出会う大人、友だちの両親など、自分の家族以外の大人には使ってはいけません。
・自分のことは「나」、相手のことは「너」と呼び、「네」「아뇨」の代わりに「응」「아냐」を使います。

1. 絵を見て、例のように言ってみよう。

> 例　A : 그거 시지 않아요?　それ、すっぱくありませんか。
> 　　B : 네, 좀 셔요.　　　　はい、少しすっぱいです。
> 　　　/ 아뇨, 안 셔요.　　　いいえ、すっぱくありません。

①
싱겁다
(スープ)

②
맵다
(トッポッキ)

③
달다
(柿)

2. 例のように対話してみよう。

> 例　A : 낫토를 먹을 수 있어요?　納豆が食べられますか。
> 　　B : 네, 먹을 수 있어요.　　　はい、食べられます。
> 　　　/ 아뇨, 못 먹어요.　　　いいえ、食べられません。

① 한국 노래 부르다

② 그 핸드폰으로 국제전화 하다

③ 집에서 한국어로 메일 보내다

④ 한국 음식을 만들다

시다 すっぱい	싱겁다 (味が)薄い	달다 甘い	낫토 納豆
부르다 (歌を)歌う	국제전화 国際電話	메일 メール	보내다 送る

3. 次のページメニューを見て、例のように言ってみよう。

例 1

A：뭐 할까요?　　　何にしましょうか。

B：순두부찌개로 해요.　スンドゥブチゲにしましょう。

例 2

A：뭐 할까?　　　何にする？

B：순두부찌개로 하자.　スンドゥブチゲにしよう。

例 3

A：우리 뭐 시킬까?　何を注文する？

B：비빔밥으로 하자.　ビビンバにしよう。

A：김밥도 하나 시키자.　のり巻きも一つ注文しよう。

B：좋아. 여기요. 비빔밥 두 개하고 김밥 하나 주세요.

いいね。すみません。ビビンバ二個とのり巻きひとつください。

메　뉴									
파전	김밥	불고기	비빔밥	갈비탕	된장찌개	냉면	김치찌개	떡국	순두부찌개
10000	2000	8000	4000	7000	4500	6500	5000	4000	5500

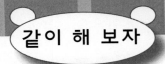
1.食堂やレストランでの会話です。何を注文するか、例のように会話をしてみよう。

例

치킨카레 6000원	쇠고기카레 7000원	야채카레 5500원

A : 뭐 시킬까요?　　　　　何を注文しますか。

B : 쇠고기카레는 어때요?　　ビーフカレーはどうですか。

A : 그거 맵지 않아요?　　　それ、辛くないですか。

B : 좀 매워요.　　　　　　ちょっと辛いです。

　　그럼 치킨카레는 어때요?　じゃあ、チキンカレーはどうですか。

　　치킨카레는 안 매워요.　チキンカレーは辛くないですよ。

A : 그럼 난 치킨카레요.　　じゃあ、私はチキンカレーです。

① ＜한식집 韓国料理店＞

한정식 韓定食	15,000
불고기정식 プルコギ定食	12,000
김치찌개 キムチチゲ	5,000
비빔밥 ビビンバ	4,000

② ＜전통 찻집　伝統茶の店　＞

인삼차 高麗人参茶	4,500
쌍화차 双和茶	4,000
오미자차 五味子茶	4,000
유자차 柚子茶	3,500
대추차 なつめ茶	5,000
생강차 生姜茶	4,500

~로/으로 하다 ~にする　　　시키다 注文する　　　쇠고기 牛肉　　　치킨 チキン

2. ペアになって、例のように一方が質問し、一方が答えて、どの食べ物のことか当ててみよう。

 例

케이크/달다

A : 그거 매워요?	それ、辛いですか。
B : 맵지 않아요.	辛くないです。
A : 그럼 셔요?	じゃあ、酸っぱいですか。
B : 아니요, 안 셔요.	いいえ、酸っぱくありません。
A : 그럼 그거 달아요?	じゃあ、それ、甘いですか。
B : 네, 달아요.	ええ、甘いです。
A : 그럼, 케이크죠?	じゃあ、ケーキでしょう？
B : 네, 맞아요.	はい、当たりです。

고야 / 쓰다

고추 / 맵다

레몬 / 시다

소금 / 짜다

発音の変化　Ⅲ

4　舌側音化（流音化）

「ㄴ」と「ㄹ」または「ㄹ」と「ㄴ」が連続すると、「ㄴ」は[ㄹ]に発音されます。

신라 [실라] 新羅　　　　　일년 [일련] 1年

 練習

① 인류 人類　　　② 설날 正月　　　③ 연락 連絡
④ 편리 便利　　　⑤ 천리 千里　　　⑥ 실내 室内

5　口蓋音化

「ㄷ」받침と「이」が連続すると「지」、「ㅌ」받침と「이」が連続すると「치」と発音されます。

같이 [가치] 一緒に　　　붙이다 [부치다] 付ける
굳이 [구지] 無理に

한 시간에 얼마예요?
一時間でいくらですか。 🔊 52

施設の利用の仕方をたずねたり、理解することができる。

🔊 53~55

< 노래방에서 >

유 타   : 아저씨, 지금 들어갈 수 있어요?

주인 아저씨 : 몇 분이세요?

유 타   : 여덟 명인데요.

주인 아저씨 : 아, 지금 넓은 방이 없네요.

                      한 30분 정도 기다리셔야 돼요.

유 타   : 그래요? 그럼 기다릴게요.

                      그런데 한 시간에 얼마예요?

주인 아저씨 : 한 시간에 2만원이고요, 선불이에요.

訳

< カラオケボックスで >
裕太 ： すみません、今、入れますか。
店主 ： 何名様ですか。
裕太 ： 8人ですけど。
店主 ： えーっと、今、広い部屋がありませんね。
　　　　約30分ほどお待ちにならないといけません。
裕太 ： そうですか。じゃあ、待ちます。ところで、1時間でいくらですか。
店主 ： 1時間2万ウォンで、前払いです。

語句

노래방<ーー房> : カラオケボックス　　　　　　　　아저씨 : おじさん (すみません)

들어가다 : 入る　　　　　　주인 아저씨<主人ーーー> : 店主

몇 분 : 何名様　　　　　　~ 명<名> : ~人、~名

~인데요 : ~ですが、~ですけど　　　　　넓다 : 広い

방<房> : 部屋　　　　　　한 ~ : 約~　　　　~ 분<分> : ~分

정도<程度> : ほど　　　　기다리다 : 待つ

-어야 되다 : (し)なければならない　　　　　-ㄹ게요 : (し)ますから

그런데 : ところで　　　　　~에 : ~で　　　　얼마 : いくら

2[이] 만원<二萬ー> : 2万ウオン　　　　　선불<先払> : 前払い

表現のしくみ

들어갈 수 있어요? ← 들어가다＋ㄹ 수 있다＋어요?
기다리셔야 돼요 ← 기다리다＋시＋어야 되다＋어요
기다릴게요 ← 기다리다＋ㄹ게요
~이고요 ← ~이다＋고＋요

発音

🔊 56

들어갈 수 있어요? [드러갈쑤이써요]　　　　　　없네요[엄네요]
기다릴게요 [기다릴께요]

123

表現の ポイント

1. -아야/어야/여야 되다 (し)なければならない

「-아야/어야/여야 되다」は義務を表す表現で、「(し)なければならない」という意味です。接続の型は**陰陽型**です。

陽　나오다　　→　나와야 돼요
　　出て来る　　(오＋아)　出なければなりません

陰　먹다　　　→　먹어야 돼요
　　食べる　　(먹＋어)　食べなければなりません

하　연습하다　→　연습해야 돼요
　　練習する　(연습하＋여)　練習しなければなりません

＊「-아야/어야/여야 되다」は、「-아야/어야/여야 하다」と表現することもあります。意味はほとんど変わりません。

여섯 시 반까지 집을 나와야 돼요.

　　　　　　　6時半までに家を出なければなりません。

생크림 케이크는 오늘 안으로 먹어야 돼요.

　　　　　　　生クリームケーキは今日中に食べなければなりません。

주말에는 댄스 연습해야 돼요.

　　　　　　　週末にはダンスの練習をしなくてはなりません。

한 번 해 보 자

「-아야/어야/여야 돼요」を使って言ってみよう。

① 다음 역에서 갈아타다

→ _____　次の駅で乗り換えなければなりません。

② 시간을 지키다 → _____　時間を守らなければなりません。

③ 방을 청소하다 → _____　部屋を掃除しなければなりません。

2. -ㄹ게요/을게요　(し)ますね、(し)ますから

「-ㄹ게요/을게요」は、「(し)ますね」と約束したり自分の意志を伝えたりする表現です。接続の型は**받침有無型**です。語幹末の받침が「ㄹ」の場合は、「**ㄹ」받침が脱落**して「ㄹ게요」が付きます。発音は[ㄹ께요/을께요]と濃音で発音します。

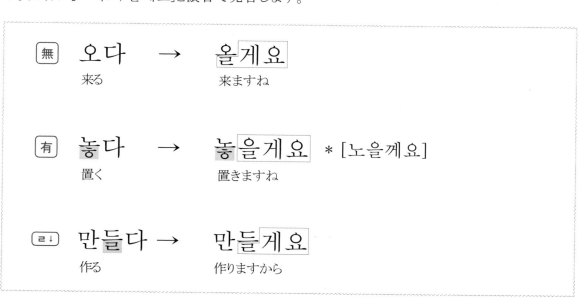

無　오다　→　올게요
来る　　　来ますね

有　놓다　→　놓을게요　＊[노을께요]
置く　　　置きますね

ㄹ↓　만들다　→　만들게요
作る　　　作りますから

내일 또 올게요.   明日また来ますね。

책상 위에 놓을게요.   机の上に置きますね。

제가 포스터를 만들까요?   私がポスターを作りしましょうか。

ㅡ아뇨, 제가 만들게요.   ーいいえ、私が作りますから。

한 번 해 보자

「ㅡㄹ게요/을게요」を使って言ってみよう。

① 편지 쓰다   → _____ 手紙、書きますね。

② 전화 끊다   → _____ 電話、切りますね。

③ 역에서 기다리다 → _____ 駅で待ちますね。

3. ~인데요　～ですが、～なんですけど

「～인데요」は、指定詞「～이다：～である」に「～ㄴ데요：～ですが、～なんですけど」が付いたものです。名詞のあとに付いて「～ですが、～なんですけど」と後ろに含みや余韻を持たせる表現です、**받침のない名詞に付くときは「이」が省略される**ことが多いです。

㊢　저　　　→　　저인데요 / 전데요
　　　私　　　　　　　私ですが

㊒　내일　　→　　내일인데요
　　　明日　　　　　　明日なんですが

담당자는 전데요.　　　担当者は私ですが。

제출일은 내일인데요.　　提出日は明日なんですが。

한 번 해 보자

「～인데요」を使って言ってみよう。

① 제 거　　　→　＿＿＿＿＿＿＿＿＿＿＿　私のなんですが。

② 숙제　　　→　＿＿＿＿＿＿＿＿＿＿＿　宿題なんですが。

③ 좋은 사람　→　＿＿＿＿＿＿＿＿＿＿＿　良い人なんですが。

4. ～에　～で

「1時間で (いくら)」や「三つで (いくら)」というように、値段を表すときの「～で」には「～에」を使います。

한 시 간　　→　　한 시 간에
1時間　　　　　　　1時間で

CD 세 장　　→　　CD 세 장에
CD3枚　　　　　　CD3枚で

한 시간에 3,000원이에요.　　　　1時間で3,000ウオンです。

CD 세 장에 10,000원이에요.　　　CD3枚で10,000ウオンです。

한 번 해 보 자

「～에 만 원이에요」を使って言ってみよう。

① 한 달　　　　→ _____　ひと月で1万ウォンです。

② 2인분　　　　→ _____　二人分で1万ウォンです。

③ 네 개　　　　→ _____　4つで1万ウォンです。

　～달 ～月　　　　　～인분 ～人分

128

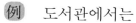

좀 더 해 보자

1. 例のように①〜③の文に続けられるものをa〜cから選んで言ってみよう。

> 例　도서관에서는
>
> → 조용히 공부해야 돼요.
>
> 静かに勉強しなければいけません。

① 대회에서 우승하고 싶으면

② 여름에 바닷가에서는

③ 푸드코트에서는

a. 먼저 식권을 사야 돼요.

b. 연습을 많이 해야 돼요.

c. 선크림을 발라야 돼요.

2. 次のような状況のとき、何と言いますか。a〜d から選んで言ってみよう。

> 例　写真を撮るとき
>
> → 찍을게요.　撮りますね。

① 先に帰るとき

② ちょっと出かけてくるとき

③ おごるときとき

④ 何か失敗をしてしまったとき

a. 앞으로는 조심할게요.

b. 먼저 갈게요.

c. 제가 낼게요.

d. 갔다 올게요.

대회 大会	우승 優勝	바닷가 海辺	푸드코트 フードコート
먼저 先に	식권 食券	선크림 日焼け止めクリーム	바르다 塗る
갔다 오다 行ってくる		제가 내다 自分が出す、おごる	

129

3. 例のように対話してみよう。

열 시까지 공항에 가다

A : 열 시까지 공항에 가서야 돼요.　10時までに空港に行かなければなりません。

B : 그럼 열 시까지 갈게요.　　　　じゃあ、10時までに行きますね。

① 일찍 오다　　　　　　　② 교통 카드를 사다
③ 표를 예매하다　　　　　④ 추가 요금을 내다

4. 例のように対話してみよう。

 몇 분 / 세 명

A : 몇 분이세요?　　　何人様ですか。

B : 세 명인데요.　　　三人ですが。

① 한국 분 / 일본 사람
② 야마다 씨 / 다나카
③ 대학생 / 고등학생
④ 집이 도쿄 / 오사카

공항 空港　　　　일찍 早く　　　교통 카드 交通カード
예매하다 前売り(切符)を買う　　　추가 요금 追加料金

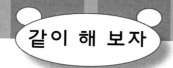
같이 해 보자

◈ 遊園地の入り口に料金表が貼ってあります。次の場合、料金はそれぞれいくらに
　なりますか。

例

구분		어른	청소년	어린이
입장권	1일권	26,000	23,000	20,000
	After 4	22,000	19,000	16,000
자유 이용권	1일권	38,000	33,000	29,000
	After 4	31,000	27,000	23,000

자유 이용권은 입장도 할 수 있고 모든 시설을 이용할 수도 있어요.

어린이는 만 3세부터 만 12세까지의 아이를 말하고,

청소년은 만 13세부터 만 18세까지를 의미해요.

After 4는 오후 4시 이후에 입장할 수 있어요.

裕太　　　：日曜日の5時から友だち(高校生)2人と遊園地でいろいろな乗り物に
　　　　　　乗って遊びたい。

有紀　　　：今晩、ソナ一家(お父さん、お母さん、お兄ちゃん(大学生)、
　　　　　　ソナ)と一緒に遊園地で花火を見ようと思う。

ヨンチョル：訪日している交流校の高校生イェジンとイェジンの妹(10歳)と一緒に
　　　　　　日曜日の朝から一日中遊園地で遊ぼうと思う。

구분 区分	어른 大人	청소년 青少年	어린이 子ども
입장권 入場券	자유 이용권 フリーパス		1일권 1日券
모든 すべて	시설 施設	이용 利用	~개월 ~ヶ月
이상 以上	만 満	~세 ~歳	이후 以降

여러분과 만나서 정말 반갑습니다.
皆さんとお会いできて本当にうれしいです。

🔊 57

公の場所であいさつをしたり、理解したりすることができる

🔊 58~60

< 자매학교를 방문해서 >

 안녕하세요? 저는 우에다 유키라고 합니다. 우리는 자매학교인 아스카고등학교 3학년 학생입니다. 이번에 서울제일 고등학교를 방문하게 되어서 무척 기쁩니다.

우리 아스카고등학교는 일본 나라현에 있습니다. 나라는 옛날부터 한국과 깊은 관계가 있었습니다.

 우리 학교에서는 스무 명이 한국어를 배우고 있습니다. 아직 한국어가 많이 서투르지만, 여러분과 많이 이야기하고 좋은 추억을 많이 만들고 싶습니다.

여러분과 만나서 정말 반갑습니다.

訳

< 姉妹校を訪問して >

有紀　　　：こんにちは。私は上田有紀と言います。私たちは、姉妹校のあすか高校3
　　　　　　年生の生徒です。
　　　　　　このたび、ソウル第一高等学校を訪問することになりとてもうれしいです。
裕太　　　：あすか高校は日本の奈良県にあります。奈良は昔から韓国と深い関係に
　　　　　　ありました。
ヨンチョル：私たちの学校では二十人の生徒が韓国語を学んでいます。まだ韓国語が
　　　　　　大変つたないですが、みなさんとたくさん話をして良い思い出をたくさん作り
　　　　　　たいです。
（三人で）：みなさんとお会いできてとてもうれしいです。

語句

자매학교<姉妹學校>：姉妹校	방문하다<訪問－－>：訪問する
～라고 하다：～という	－ㅂ니다：-です、-ます
～인 ～：～である～、～の～	이번에<－番－>：今回、このたび
－게 되다：(する)ことになる	무척：とても
기쁘다 [으形] うれしい　나라현：奈良県	－습니다：-です、-ます
옛날：昔　　　　～부터：～から	～과：～と
깊다：深い　　관계<關係>：関係	스무 명<－－ 名>：二十人
아직：まだ　　서투르다 [르形] 不慣れだ、ぎこちない	
추억<追憶>：思い出　여러분：皆さん	

表現の しくみ

～라고 합니다 ← 라고 하다＋ㅂ니다

방문하게 되어서 ← 방문하다＋게 되다＋어서

기쁩니다 ← 기쁘다＋ㅂ니다　　있습니다 ← 있다＋습니다

깊은 ～ ← 깊다＋은　　　　　　있었습니다 ← 있다＋었＋습니다

서투르지만 ← 서투르다＋지만

만들고 싶습니다 ← 만들다＋고 싶다＋습니다

発音

🔊 61

방문해서 [방무내서]　　　3학년 [사망년]　　　방문하게 [방무나게]

옛날 [옌날]　　　　　관계 [관게]　　　　좋은 [조은]

表現の ポイント

1. 합니다形

　日本語の「です・ます形」にあたる丁寧な言い方には「해요形」と「합니다形」の2種類があります。日常生活では「해요形」がより広く使われますが、公式的な場面や目上の人との会話ではかしこまった表現である「합니다形」が使われます。接続の型は**받침有無型**です。

無	하다 →	합니다
	する	します
有	먹다 →	먹습니다
	食べる	食べます
ㄹ↓	살다 →	삽니다
	住む	住んでいます

＊「～입니다(～です)」は「～이다(～だ、～である)」の합니다形です。

＊「-ㅂ니다/습니다」を「-ㅂ니까?/습니까?」に付け替えれば疑問形になります。

도서관에서 시험 공부를 합니다.	図書館で試験勉強をします。
아침에는 빵을 먹습니다.	朝はパンを食べます。
친구가 미국에 삽니다.	友だちがアメリカに住んでいます。
어제 도착하셨습니까?	きのう到着されたんですか。

한 번 해 보자

「-ㅂ니다/습니다」を使って言ってみよう。

① 공부하다 → ＿＿＿＿＿＿＿＿＿＿＿＿ 勉強します。

② 입다　　 → ＿＿＿＿＿＿＿＿＿＿＿＿ 着ます。

③ 알다　　 → ＿＿＿＿＿＿＿＿＿＿＿＿ 知っています。

2. ～(이)라고 하다　～という

「～(이)라고 하다」は、「～という」のように、名前を言うときなどに使います。

㊝　선아　　→　　선아라고 합니다
　　ソナ　　　　　　　ソナといいます

㊒　도시락　→　　'도시락'이라고 해요
　　トシラク　　　　　　　「トシラク」といいます

그 친구는 선아라고 합니다.　　　　　その子はソナと言います。

'벤토(弁当)'는 한국말로 '도시락'이라고 해요.

　　　　　　　　　　　　　「弁当」は韓国語で「トシラク」と言います。

한 번 해 보자

「～는/은 ～라고/이라고 해요」を使って言ってみよう。

① 저 / 박영철 →　_____　私はパク・ヨンチョルと言います。

② 저 건물 / N서울타워

　→　_____　あの建物はNソウルタワーと言います。

③ 한국의 고속철도 / 케이 티 엑스(KTX)

　→　_____　韓国の高速鉄道はKTXと言います。

135

3. -게 되다　(する)ようになる、(する)ことになる

「-게 되다」は、「(する)ようになる、(する)ことになる」の意味で、動詞の語幹について、意志に関わらずある行為をすることになる場合に使います。接続の型は**単純型**です。

이사가다　→　이사가게 되었습니다
引越しする　　　　　引越しすることになりました

알다　→　알게 됐어요
知る　　　　　知るようになりました

나고야로 이사가게 되었습니다.　名古屋に引っ越すことになりました。

선아 씨하고는 친구 소개로 알게 되었어요.

ソナさんとは友だちの紹介で知り合いになりました。

한 번 해 보자

「-게 되었습니다」を使って言ってみよう。

① 학교를 대표해서 인사하다

→ _____　学校を代表して挨拶することになりました。

② 응원 단장을 맡다

→ _____　応援団長を引き受けることになりました。

③ 매운 것도 먹을 수 있다

→ _____　辛いものも食べられるようになりました。

4. ~인~　　~である~、~の~

「~인」は指定詞「~이다:~である」の連体形で、名詞のあとについて、「~である~」「~の~」のように名詞を修飾します。

간호사 / 언니　　→　　간호사인 언니
看護師　　　姉　　　　　看護師である姉

대학생 / 오빠　　→　　대학생인 오빠
大学生　　　兄　　　　　大学生である兄

선아한테는 간호사인 언니와 대학생인 오빠가 있습니다.

ソナには看護師である姉と大学生である兄がいます。

한 번 해 보 자

「~인」を使って言ってみよう。

① 유키 친구 / 김선아 → ＿＿＿＿＿＿＿＿＿＿　有紀の友だちのキム・ソナ

② 축구 강국 / 브라질 → ＿＿＿＿＿＿＿＿＿＿　サッカー強国であるブラジル

③ 세계유산 / 불국사 → ＿＿＿＿＿＿＿＿＿＿　世界遺産である仏国寺

＊ 指定詞「~이다」の합니다形は「~입니다」、해요形は「~예요/ 이에요」ですが、その連体形が「~인」です。

선아는 제 친구입니다.　　　　ソナは私の友だちです。

선아는 한국에서 유학 왔습니다.　ソナは韓国から留学に来ました。

　　→ 제 친구인 선아는 한국에서 유학 왔습니다.

　　　私の友だちであるソナは韓国から留学に来ました。

5. ～부터　～から

「～부터」は、時を表す名詞に付いて「～から」という意味を表します。

다음 주　→　다음 주부터
来週　　　　　　　　来週から

열 시　→　열 시부터
10時　　　　　　10時から

다음 주부터 세일이에요.　　　来週からセールです。

졸업식은 열 시부터 시작해요.　　卒業式は10時から始まります。

＊場所を表す「～から」は「～에서」です。

교토에서 오사카까지 전철로 가요.　　京都から大阪まで電車で行きます。

한 번 해 보자

「～부터」を使って言ってみよう。

① 21일 / 여름 방학이에요

　→ _____　21日から夏休みです。

② 내일 / 다이어트할 거예요

　→ _____　明日からダイエットをするつもりです。

③ 지금 / 시작하겠습니다

　→ _____　今から始めます。

6. ~과/와　～と

「～과/와」は、「～と」と言う意味の助詞です。「～하고」と同じ意味ですが、「～하고」は主に話しことばで使われるのに対し、「～과/와」は書きことばで多く使われます。

⠀⠀⠀⠀⠀⠀⠀⠀⠀⠀⠀⠀⠀⠀⠀⠀⠀⠀⠀⠀⠀⠀⠀⠀⠀⠀⠀⠀⠀⠀⠀⠀⠀

無　너/나　　→　　너와 나
　　君/僕　　　　　　君と僕

有　수학/영어　→　　수학과 영어
　　数学　英吾　　　　数学と英語

⠀⠀⠀⠀⠀⠀⠀⠀⠀⠀⠀⠀⠀⠀⠀⠀⠀⠀⠀⠀⠀⠀⠀⠀⠀⠀⠀⠀⠀⠀⠀⠀⠀

한 번 해 보자

「～과/와」を使って言ってみよう。

① 한국 / 일본　→ _____　韓国と日本

② 남자 / 여자　→ _____　男と女

③ 전쟁 / 평화　→ _____　戦争と平和

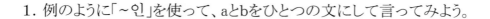

1. 例のように「~인」を使って、aとbをひとつの文にして言ってみよう。

>
>
> 例 a. 유타는 야구부 주장입니다.
>
>   b. 유타가 학생회장 선거에 나갑니다.
>
>   → 야구부 주장인 유타가 학생회장 선거에 나갑니다.

① a. 덴진마쓰리는 일본의 삼대축제 중의 하나입니다.

  b. 덴진마쓰리에는 수십만명의 관광객이 모입니다.

② a. K선수는 한국사람입니다.

  b. K선수는 J리그에서 활약하고 있습니다.

③ a. 유카타는 여름에 입는 기모노입니다.

  b. 유카타가 외국인들한테도 인기가 많습니다.

2. 次の文をすべて「합니다形」で言ってみよう。

> 저는 우에다 유키라고 해요. 코리아타운 근처에 살아요.
>
> 학교까지는 전철로 한 시간 걸려요. 특별 활동은 수영부예요.
>
> 토요일하고 일요일에는 아르바이트를 해요.
>
> 아르바이트하는 곳은 집에서 가까워요.
>
> 어제는 한국에 사는 친구한테 편지를 썼어요.
>
> 방학에는 서울에 놀러 갈 거예요.

주장 主将	학생회장 生徒会会	선거 選挙	나가다 出る
삼대축제 三大祭り	중 中	수십만명 数十万人	관광객 観光客
모이다 集まる	선수 選手	J리그 Jリーグ	활약 活躍
외국인들 外国人たち	코리아타운 コリアタウン		걸리다 かかる
특별 활동 クラブ活動	곳 所	가깝다 近い	편지 手紙

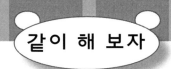
같이 해 보자

1. 有紀、ヨンチョル、裕太は何についてどのように説明していますか。それぞれ簡単にまとめたりグループで話し合ってみよう。

우리 할머니는 한국분이십니다. 저는 요즘 어머니와 같이 한국 드라마를 매일 보고 있습니다. 제 목표는 자막없이 한국 드라마를 보는 것입니다. 열심히 공부해서 빨리 한국어를 잘하고 싶습니다.

저는 야구부입니다. 투수를 맡고 있습니다.
초등학교 때 아버지와 같이 프로야구를 보고 크게 감동을 받았습니다. 그것이 계기가 되어서 야구를 하게 되었습니다. 저와 같이 한 게임 하고 싶은 사람은 이따가 운동장에서 만나요!

제가 사는 동네는 덴진마쓰리라는 축제로 유명합니다. 일본의 삼대 축제 중의 하나인 덴진마쓰리에는 수십만 명의 관광객이 모입니다. 이날은 유카타를 입는 사람도 많습니다. 유카타는 일본 전통 여름 옷입니다. 밤하늘에 불꽃놀이는 정말 아름답습니다.

2. 「같이 해 보자1」を参考に、自分や自分の身の回りのものごとについて説明してみよう。

요즘 最近	자막없이 字幕無しで		잘하다 上手になる
투수 投手	맡다 任されている	크게 大きく、とても	감동을 받다 感動を受ける
계기 契機	한 게임 一試合	이따가 後で	동네 町　이날 この日
전통 伝統	밤하늘 夜空	불꽃놀이 花火	아름답다 美しい

第13課

제가 좋아하는 음악인데 들어 보세요.

私が好きな音楽なんだけど、聞いてください。

🔊 62

お土産などについて説明することができる

🔊 63~65

유 키 : 이거 선물이에요.

민 호 : 와, 고마워요. 뭐예요?

유 키 : 제가 좋아하는 음악인데 시간 있을 때 들어
　　　　보세요.

민 호 : 잘 들을게요. 우리도 준비한 선물이 있어요.
　　　　여기. 우리가 직접 만든 거예요.
　　　　마음에 들었으면 좋겠는데.

유 키 : 지금 풀어 봐도 돼요?

민 호 : 네, 풀어 보세요.

유 키 : 야, 진짜 잘 만들었다! 정말 마음에 들어요.
　　　　고마워요.

訳

有紀　：これ、お土産です。

ミ ノ ：わあ、ありがとう。何ですか。

有紀　：私が好きな音楽なんだけど、時間があるときに聞いてください。

ミ ノ ：ありがとう(聞きますね)。僕たちも準備したプレゼントがあるんですよ。
　　　　はい、これ。僕たちが作ったものです。気に入ってもらえればうれしいん
　　　　だけど。

有紀　：今、開けてみてもいいですか。

ミ ノ ：ええ、開けてみてください。

有紀　：わあ、ほんとうに上手に作ってある！とても気に入りました。ありがとう。

語句

선물<膳物>：お土産、プレゼント　　　　　　　　민호：ミノ(人名)

음악：音楽　　　　　　　~인데：~だけど　　　-을 때：(する)時

듣다 ㄷ動 聞く　　　　　준비하다<準備－－>：準備する

-ㄴ；過去連体形　　　　여기：はい、これ；物を手渡すときのことば

직접<直接>：直接、自分で　마음에 들다：気に入る

-었으면 좋겠다：(し)たらうれしい　풀다：開ける、解く　　　잘：上手に

表現の しくみ

음악인데 ← 음악＋인데　　　　　있을 때 ← 있다＋을 때

들어 보세요 ← 듣다 ㄷ動 ＋어 보다＋세요

들을게요 ← 듣다 ㄷ動 ＋을게요　　준비한 ← 준비하다＋ㄴ

만든 ← 만들다＋ㄴ

마음에 들었으면 좋겠는데 ← 마음에 들다＋었으면 좋겠다＋는데

풀어 봐도 돼요? ← 풀다＋어 봐도 되다＋어요?

発音

🔊 66

민호 [미노]　　들을게요 [드를께요]　　좋겠는데 [조켄는데]

表現の ポイント

1. -ㄴ/은　動詞の過去連体形

「-ㄴ/은」は動詞の過去連体形の語尾で、接続の型は**받침有無型**です。語幹末の받침が「ㄹ」の場合、「**ㄹ**」**받침が脱落**して「ㄴ」が付きます。

無	그리다 ＋ 그림　　　→　　　그린 그림
	描く　　　　　絵　　　　　　　　描いた絵

有	찍다 ＋ 사진　　　→　　　찍은 사진
	撮る　　　写真　　　　　　　撮った写真

ㄹ↓	만들다 ＋ 초콜릿　　　→　　　만든 초콜릿
	作る　　　チョコレート　　　　　作ったチョコレート

그 기린 그림은 그가 그린 기린 그림이에요.

　　　　　そのキリンの絵は彼が描いたキリンの絵です。

핸드폰으로 찍은 사진을 메일로 보낼게요.

　　　　　携帯電話で撮った写真をメールで送るからね。

이거 내가 직접 만든 초콜릿이에요.

　　　　　私が自分で(直接)作ったチョコレートです。

144

한번해보자

「-ㄴ/은」を使って言ってみよう。

① 어제 만나다 + 사람→ _____ 昨日会った人

② 주말에 읽다 + 책　 → _____ 週末に読んだ本

③ 우리가 만들다 + 한국어 포스터

　→ _____ 私たちが作った韓国語のポスター

④ 개구리가 되다 + 왕자

　→ _____ カエルになった王子

2. ~인데　〜だけど、〜なんだけど

第11課で、文末に来る「〜인데요(〜ですが、〜なんですが)」という形を学びましたが、ここでは文中に来る「〜인데(〜だけど、〜なんだけど)」を学びます。

이 가수는 한국 사람인데 일본말 잘해요.

この歌手は韓国人なんだけど、日本語が上手です。

이거 지난달에 산 전자사전인데 고장났어요.

これ先月買った電子辞書なんだけど、故障しました。

145

3. -ㄹ/을 때 (する)時

「-ㄹ/을 때」は「(する)時」という意味です。接続の型は**받침有無型**です。語幹末の받침が「ㄹ」の場合、「ㄹ」**받침は脱落**します。

無 가다   →   갈 때
行く   行く時

有 먹다   →   먹을 때
食べる   食べる時

ㄹ↓ 놀다   →   놀 때
遊ぶ   遊ぶ時

비행기 탈 때는 핸드폰 전원을 끄세요.

飛行機に乗る時は携帯電話の電源を切ってください。

다코야키는 뜨거우니까 먹을 때 조심해야 돼요.

たこ焼きは熱いから食べるとき、注意しないといけません。

*「때」の後ろに「～는(～は)」、「～마다(～たびに)」などの助詞が続くこともあります。

공부할 때는 열심히 공부하고 놀 때는 신나게 놀아요.

勉強する時はしっかり勉強して、遊ぶときは楽しく遊びます。

여기 올 때마다 좋은 일이 생겨요.   ここに来るたびに良いことが起きます。

＊「(し)た時」の意味を表す場合は「-았/었/였을 때」を使います。接続の型は陰陽型です。

그 사람을 처음 만났을 때 인상이 어땠어요?

その人に初めて会った時、どんな印象でしたか。

한 번 해 보자

「-ㄹ/을 때」を使って言ってみよう。

① 카레를 만들다 / 과일도 넣어요?

→ ＿＿＿＿＿＿＿＿＿＿＿＿＿＿＿＿＿＿＿＿＿＿＿＿

　　カレーを作る時、果物も入れますか。

② 힘든 일이 있다 / 혼자서 고민하지 마세요.

→ ＿＿＿＿＿＿＿＿＿＿＿＿＿＿＿＿＿＿＿＿＿＿＿＿

　　つらいことがある時、一人で悩まないでください。

③ 기분이 좋다 / 콧노래를 불러요.

→ ＿＿＿＿＿＿＿＿＿＿＿＿＿＿＿＿＿＿＿＿＿＿＿＿

　　気分がいい時、鼻歌を歌います。

④ 수학여행 갔다 / 찍은 사진이에요.

→ ＿＿＿＿＿＿＿＿＿＿＿＿＿＿＿＿＿＿＿＿＿＿＿＿

　　修学旅行に行った時、撮った写真です。

147

4. -았/었/였으면 좋겠다　(し)たらうれしい、(し)てほしい

「-았/었/였으면 좋겠다」は、「(し)たらうれしい、(し)てほしい」という願望を表す表現です。接続の型は陰陽型です。

陽 오다　　→　　<u>왔으면 좋겠</u>는데요
　　来る　　（오＋았으면）
　　　　　　　　　　来てくれたらうれしいんですけど

陰 이기다　→　　이<u>겼으면 좋겠</u>어요
　　勝つ　　（이기＋었으면）
　　　　　　　　　　勝てたらうれしいです

하 잘하다　→　　잘<u>했으면 좋겠</u>는데
　　上手だ　（하＋었으면）
　　　　　　　上手だったらうれしいんだけど

오빠도 같이 왔으면 좋겠는데.　　お兄さんもいっしょに来てくれたらうれしいんだけど。

전국 대회에서 이겼으면 좋겠어요.　　全国大会で勝てたらうれしいです。

홈스테이 친구가 일본말을 잘했으면 좋겠는데.

　　　　　　　　　　　　　　ホームステイの子が日本語が上手かったらいいんだけど。

한번 해 보자

「-았/었/였으면 좋겠는데」を使って言ってみよう。

① 친구가 많이 생기다→＿＿＿＿＿＿＿＿＿＿　友だちがたくさんできたらいいんだけど。

② 자유 시간이 더 많다→＿＿＿＿＿＿＿＿＿　自由時間がもっとたくさんあったらいいのに。

③ 크리스마스에 눈이 오다 →＿＿＿＿＿＿＿＿　クリスマスに雪が降ってほしいなあ。

148

5. ㄷ変則用言

語幹末が「ㄷ」받침で、**받침有無型**の語尾または**陰陽型**の語尾が付くと「ㄷ」받침が「ㄹ」받침に**変わる**用言を「ㄷ変則用言」といいます。

< 받침有無型の語尾が付く場合 >

듣다 ＋ 으세요　　→　　들으세요
聞く　　　　　　　（들＋으）　　聞いてください

< 陰陽型の語尾が付く場合 >

걷다 ＋ 어서　　　→　　걸어서
歩く　　　　　　　（걸＋어）　　歩いて

여러분, 잘 들으세요.　　　　　　　みなさん、よく聞いてください。

집에서 학교까지 걸어서 20분이에요.　家から学校まで歩いて20分です。

＊単純型の語尾が付く場合は、받침は変化しません。

음악도 듣고 노래도 불러요.　　音楽も聴き、歌も歌います。

＊語幹が「ㄷ」받침で終わる用言には「ㄷ変則用言」と、規則用言があります。

< ㄷ変則用言 >　듣다　聞く　　　　　걷다　歩く　　　　묻다　尋ねる
< 規則用言 >　　받다　もらう、受け取る　닫다　閉める　　믿다　信じる

한번 해 보자

過去の해요形で言ってみよう。

① 선생님한테 묻다　→　＿＿＿＿＿＿＿＿＿＿＿　先生に尋ねました。

② 소문을 듣다　　　→　＿＿＿＿＿＿＿＿＿＿＿　噂を聞きました。

③ 어제는 많이 걷다　→　＿＿＿＿＿＿＿＿＿＿＿　昨日はたくさん歩きました。

1. お土産や持ち物について例のように説明してみよう。

> **例** 이 인형은 교토에서 샀어요.
>
> → 이 인형은 교토에서 산 거예요.
>
> この人形は京都で買ったものです。

① 이 사진은 학교 축제 때 찍었어요.

② 이 핸드폰줄은 제가 만들었어요.

③ 이 공연은 여러분을 위해 준비했어요.

④ 이 가방은 생일 선물로 받았어요.

2. お土産について例のように対話してみよう。

> **例** 일본의 쌀과자 / 한번 먹어 보세요.
>
> A : 이게 뭐예요?　　　　これなんですか。
>
> B : 일본의 쌀과자인데 한번 먹어 보세요.
>
> 日本のおせんべいなんだけど、いちど食べてみてください。

① 유명한 녹차 / 정말 맛있어요

② 일본의 옛날 장난감 / 다케톤보라고 해요.

③ 일본의 패션 잡지 / 최근의 유행을 다 알 수 있어요.

④ 오키나와에서만 파는 인형 / 너무 귀엽죠?

공연 公演	여러분 みなさん	~을 위해 ～のために	녹차 緑茶
옛날 昔	장난감 おもちゃ	패션 ファッション	잡지 雑誌
최근 最近	유행 流行	다 すべて	팔다 売る
귀엽다 可愛い			

3. 次の小旅行のための注意事項に対して、例のようにあなたの要望を言ってみよう。

例　아침 5시에 일어나요. / 일곱시에 일어나다.

→ 일곱시에 일어났으면 좋겠어요.　　7時に起きるんだったらいいのに。

주 의 사 항

1. 밤은 9시에 자요.
2. 체육복을 입어요.
3. 핸드폰을 쓸 수 없어요.
4. 용돈은 3만원까지 쓸 수 있어요.

- 좀 더 늦게 자다.
- 체육복을 안 입다.
- 핸드폰을 쓰다.
- 좀 더 많이 쓰다.

같 이 해 보 자

◈　韓国の友だちにあげるプレゼントを例のように説明してみよう。

例

이거 일본의 보자기인데 참 예쁘죠?

これ、日本の風呂敷なんだけど、とてもきれいでしょう。

교토에 갔을 때 산 거예요.　京都に行った時、買ったものです。

마음에 들었으면 좋겠는데.　気に入ると良いんですけど。

주의사항 注意事項　밤 夜　　늦게 遅く　　　체육복 体操服
쓰다 使う　　용돈 お小遣い　보자기 ポジャギ、風呂敷

사진 가지고 왔는데 볼래요?

写真持ってきたんだけど見ますか。

🔊 67

写真に写っているものや人について説明することができる

🔊 68~70

영　　철 : 사진 가지고 왔는데 볼래요?

예　　진 : 무슨 사진이에요?

영　　철 : 학교 축제 때 찍은 사진이에요.

　　　　　 우리 반에서 한국 음식을 팔았어요.

예　　진 : 와, 재미있었겠다!

　　　　　 어, 이 빨간 옷을 입은 애는 유키 아니에요?

영　　철 : 네, 맞아요. 여기 유타도 있어요.

예　　진 : 그럼 이 분은 선생님이에요?

영　　철 : 아, 이 분은 우리 아버진데 음식 만드는 것을

　　　　　 도와주셨어요.

예　　진 : 야, 영철 씨 아버지 멋있으시다 !

訳

ヨンチョル　：　写真持ってきたんだけど見ますか。
イェジン　　：　何の写真ですか。
ヨンチョル　：　学園祭のとき撮った写真です。うちのクラスで韓国料理を売っ
　　　　　　　　たんです。
イェジン　　：　わあ、楽しそう。あれ、この赤い服を着た子は有紀じゃないですか。
ヨンチョル　：　ええ、そうです。ここに裕太もいますよ。
イェジン　　：　じゃあ、この方は先生ですか。
ヨンチョル　：　ああ、これはうちの父なんだけど、食べ物を作るのを手伝ってく
　　　　　　　　れたんです。
イェジン　　：　わあ、ヨンチョルさんのお父さん格好いいですね！

語句

가지고 오다 : 持ってくる　　　-ㄹ래요? : -ますか　　　예진 : イェジン(人名)
무슨 ~ : なんの~、どんな~　　반<班> : クラス、組　　　팔다 : 売る
-겠다! : -そう！、-でしょう！　　빨갛다 [ㅎ形] 赤い　　옷 : 服
입다 : 着る　　　　　　　　애 ← 아이 : 子の縮約形
~ 아니에요? : ~じゃないですか　　　　　　　맞다 : 合っている、そのとおりだ
도와주다 : 手伝ってくれる　　멋있다 : かっこいい

**表現の
しくみ**

가지고 왔는데 ← 가지고 오다 + 았 + 는데
볼래요? ← 보다 + ㄹ래요?
재미있었겠다! ← 재미있다 + 었 + 겠다!
빨간←빨갛다 [ㅎ形] + ㄴ　　　　　　입은←입다 + 은
아버진데 ← 아버지 + 이다 + ㄴ데　　　만드는←만들다 + 는
도와주셨어요 ← 도와주다 + 시 + 었어요
멋있으시다! ← 멋있다 + 으시 + 다!

発音

🔊 71

왔는데 [완는데]

表現の ポ イ ン ト

1. -ㄹ래요?/을래요? （し）ますか

「-ㄹ래요?/을래요?」は、「（し）ますか」「（し）ませんか」と、親しげに相手の意向をたずねたり相手に勧める時に使う表現です。接続の型は**받침有無型**です。語幹末の받침が「ㄹ」の場合は、**「ㄹ」받침が脱落**して、「ㄹ래요?」が付きます。

無	가다	→	갈래요?
	行く		行きませんか

有	먹다	→	먹을래요?
	食べる		食べませんか

ㄹ↓	만들다	→	만들래요?
	作る		作りませんか

이 영화 같이 보러 갈래요?　　この映画、一緒に見に行きませんか。

점심에 뭐 먹을래요?　　　　　お昼に何を食べますか。

만두를 만드는데 유타 씨도 같이 만들래요?

　　　　　　　　　　　　　　　餃子を作るんだけど、裕太さんも一緒に作りませんか。

같이 가지 않을래?　　　　　　一緒に行かない？

한·번·해·보·자

「-ㄹ래요?/을래요?」を使って言ってみよう。

① 같이 식사하다 　　→ ＿＿＿＿＿＿＿＿＿＿＿ 一緒に食事しませんか。

② 우리랑 같이 놀다 → ＿＿＿＿＿＿＿＿＿＿＿ 私たちと一緒に遊びませんか。

③ 커피 안 마시다 　→ ＿＿＿＿＿＿＿＿＿＿＿ コーヒー、飲みませんか。

④ 여기 앉다 　　　→ ＿＿＿＿＿＿＿＿＿＿＿ ここに座りませんか。

⑤ 이거 한번 먹어 보다

　　　　　　　　　→ ＿＿＿＿＿＿＿＿＿＿＿ これ、一度食べてみませんか。

2. ～(가/이) 아니에요?　　～じゃないですか、～じゃないんですか

　第2課で学習した「～가/이 아니에요(～ではありません)」の疑問形は「～じゃないんですか」のように、反問や確認をする表現としても用いられます。助詞の「가/이」は省略されることが多いです。

'가방' 은 일본어 아니에요?　　　「カバン」って、日本語じゃないですか。

저 분이 담임 선생님 아니에요?　　あの方が担任の先生じゃないんですか。

한 번 해 보 자

「～ 아니에요?」を使って言ってみよう。

① 그거 헐리우드 영화

　→ _____ それ、ハリウッド映画じゃないですか。

② 이 핸드폰 유키 씨 거

　→ _____ この携帯は有紀さんのじゃないですか。

③ 언니는 학생

　→ _____ お姉さんは学生じゃないんですか。

④ 저 사람 선아 씨 오빠

　→ _____
　　あの人、ソナさんのお兄さんじゃないですか。

156

3. -겠다!　-だろうなあ、-そうだな

　見たり聞いたりした事に対して、「わあ、-だろうなあ」と思わず口から出てしまう表現です。接続の型は**単純型**です。

맛있다 おいしい　　　　→　　맛있<u>겠다</u>! おいしそう！

맛있었다 おいしかった　→　맛있었<u>겠다</u>! おいしかっただろうな

<目の前に豪華な料理があるのを見て>

진짜 맛있겠다!　　　　　ほんとにおいしそう！

<昨日、豪華なディナーを食べたという話を聞いて>

와, 맛있었겠다!　　　　　わあ、おいしかっただろうな！

한 번 해 보 자

「-겠다!」を使って言ってみよう。

① <雪が降るのをみて> 춥다　　→　_____ 寒そう！

② <友だちが休みにハワイに行く予定だと言う>

　　　　　　　　좋다　→　_____ いいなあ！

③ <大掃除をしたという話を聞いて>

　　　　　　　힘들다　→　_____ しんどかっただろうな！

157

4. ㅎ変則用言

語幹末が「ㅎ」받침である形容詞(「좋다」を除く)は、**받침有無型の語尾**が付くと「ㅎ」받침と「으」が脱落します。また、**陰陽型の語尾**が付くと「ㅎ」が脱落し、さらに陰陽の母音「ㅏ / ㅓ」が「ㅐ」に変化します。このような用言を「ㅎ変則用言」といいます。

< 받침有無型の語尾が付く場合 >

빨갛다 + 은 + 옷 → 빨간 옷
赤い　　　(連体形語尾)　服　　(ㅎ+으↓)　赤い服

어떻다 + 으세요? → 어떠세요?
どうだ　　-でいらっしゃいますか　(ㅎ+으↓)　いかがですか

빨간 옷을 입은 애가 내 동생이에요.　　赤い服を着た子が私の妹です。

저 구두 어떠세요?　　　　　　　　　あの靴、いかがですか。

한 번 해 보 자

「ㅎ変則用言」の連体形を使って言ってみよう。

① 노랗다 + 손수건 → _____　黄色いハンカチ

② 하얗다 + 눈　　 → _____　白い雪

③ 이렇다 + 방법　 → _____　このような方法

④ 어떻다 + 사람　 → _____　どんな人

158

＜ 陰陽型の語尾が付く場合 ＞

빨갛다 ＋ 아요　　　　→　　빨개요
赤い　　　　　　　　　（ㅎ＋아）　　赤いです

어떻다 ＋ 었어요?　　→　　어땠어요?
どうだ　　　　　　　　（ㅎ＋어）　　どうでしたか

눈이 빨개요.　　　　　　　　目が赤いです。

여행 어땠어요?　　　　　　　旅行、どうでしたか。

＊「ㅎ変則用言」には、次のような形容詞があります。

이렇다	このようだ	그렇다	そのようだ	저렇다	あのようだ	어떻다	どのようだ
빨갛다	赤い	노랗다	黄色い	파랗다	青い	하얗다	白い
까맣다	黒い						

＊ ただし、「좋다(良い)」「놓다(置く)」「넣다(入れる)」「낳다(産む)」などはㅎ変則用言ではなく
規則活用する用言です。

한 번 해 보 자

해요形と過去の해요形で言ってみよう。

① 이렇다　→　＿＿＿＿＿＿＿ こうです。　　＿＿＿＿＿＿＿ こうでした。

② 그렇다　→　＿＿＿＿＿＿＿ そうです。　　＿＿＿＿＿＿＿ そうでした。

③ 어떻다　→　＿＿＿＿＿＿＿ どうですか。　＿＿＿＿＿＿＿ どうでしたか。

1. 例のように対話してみよう。

> 例　학교 축제 / 재미있다
>
> A : 사진 가지고 왔는데 볼래요? 写真持ってきたんだけど見ますか。
>
> B : 무슨 사진이에요?　　　なんの写真ですか。
>
> A : 학교 축제 때 찍은 사진이에요.
>
> 　　文化祭の時に撮った写真です。
>
> B : 재미있었겠다.　　　楽しそう。

① 소풍 / 재미있다　② 마라톤 대회 / 힘들다　③ 수학여행 / 좋다

2. 例のように対話してみよう。

> 例　붕어빵 / 맛있겠다 / 먹어 보다
>
> A : 어, 저거 붕어빵 아니에요?　あ、あれ、たい焼きじゃないですか。
>
> B : 네, 맞아요.　　　ええ、そうです。
>
> A : 와, 맛있겠다.　　　わあ、おいしそう。
>
> B : 먹어 볼래요?　　　食べてみますか。

① 유카타 / 예쁘다 / 입어 보다

② 마이코상 / 예쁘다 / 같이 사진 찍어 보다

③ 롤러코스터 / 무섭겠다 / 한번 타 보다

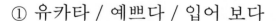

소풍 遠足　　　　마라톤 대회 マラソン大会　　　　수학여행 修学旅行
롤러코스터 ジェットコースター　　　　무섭겠다 怖そうだ　　　타 보다 乗ってみる

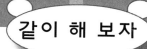

같이 해 보자

1. 有紀、裕太、ヨンチョルはそれぞれ写真についてどのように説明していますか。

　それぞれ簡単にまとめたり、グループで話し合ってみよう。

이건 학교 축제 때 찍은 사진이에요. 댄스를 발표했어요.
연습이 힘들었지만 관객들 반응이 좋아서 참 기뻤어요.

수학여행으로 싱가폴에 갔을 때 찍은 사진이에요.
마라이온이 생각보다 작았어요.
영어로 쇼핑하는 게 재미있었어요.

이건 우리 집 강아지 밀크인데 참 귀엽죠?
지금 세 살인데 정말 똑똑해요.
공을 좋아해서 항상 공을 가지고 놀아요.

2. 自分の写真を持ってきて、その写真について説明してみよう。

　＜対話のポイント＞

・ いつ、どこで、誰と撮った写真なのか。

・ 何をしたのか、どういう感想をもったのか。

발표 発表	관객 観客	반응 反応	참 本当に
싱가포르 シンガポール		마라이온 マーライオン	생각보다 思ったより
작다 小さい	게 ＜것이＞ ことが	강아지 子犬	밀크 ミルク(犬の名前)
똑똑하다 賢い	공 ボール	항상 いつも	～을 가지고 ～で

尊敬形のまとめ

用言を尊敬形にするには2つの方法があります。

A. 用言語幹＋「-(으)시-」＋다

가다 行く　→　가시다 行かれる
입다 着る　→　입으시다 お召しになる
알다 知る　→　아시다 ご存知だ

B.「-시-」を含んだ特殊な尊敬形

먹다 食べる　　→　　드시다　召し上がる
마시다 飲む　　→　　드시다　召し上がる
자다 寝る　　　→　　주무시다　お休みになる
있다 いる　　　→　　계시다　いらっしゃる
없다 いない　　→　　안 계시다　いらっしゃらない

※「있다(ある)」「없다(ない)」の尊敬形は「있으시다(おありだ)」「없으시다(おありでない)」になります。

これらの尊敬形にさまざまな語尾が付く場合、次のような形になります。

시＋어요	→	세요
시＋었어요	→	셨어요
시＋ㅂ니다	→	십니다
시＋었습니다	→	셨습니다

영철이 아버지는 병원에서 일하세요.
　　　　　　　　　　ヨンチョルのお父さんは病院で働いていらっしゃいます。

손님이 오셨어요.　　　　　　　お客様が来られました。
이 분이 교장 선생님이십니다.　こちらが校長先生でいらっしゃいます。
안녕히 주무셨습니까?　　　　　よくお休みになられましたか（おはようございます）。

162

1. 尊敬の해요形または합니다形で言ってみよう。

① 바쁘다　　→　_____（お忙しいです）

② 오다　　　→　_____（来られます）

③ 알다　　　→　_____（おわかりです）

④ 먹다　　　→　_____（召し上がります）

⑤ 있다　　　→　_____（いらっしゃいます）

2. 次の日本語を敬語を使って韓国語で言ってみよう。

① キム・ミヌ(김민우)先生、いらっしゃいますか。

② お母さんのお体の具合がよくありませんか。

③ おばあさん、これ、召し上がってください。

몸이 편찮다 お体の具合が悪い

기타라면 좀 칠 줄 알아요.

ギターならちょっと弾けます。

🔊 72

好きなことや得意なことを説明することができる

🔊 73~75

민　호 : 저, 혹시 댄스나 음악 같은 거 좋아해요?

영　철 : 음, 댄스는 못 하는데 기타는 좀 칠 줄 알아요.

민　호 : 어, 그래요?

영　철 : 주말마다 친구네 집에 모여서 연습해요.

　　　　그리고 매년 학교 축제 때 공연도 해요.

민　호 : 와, 대단하다! 나는 댄스라면 자신 있는데.

　　　　중학교 때부터 했거든요.

영　철 : 어, 그래요? 한번 보고 싶다!

민　호 : 내일 환송회 때 보여 줄 거니까 기대하세요.

訳

ミノ	：あの、ひょっとしてダンスとか音楽みたいなの好きですか。
ヨンチョル	：う～ん、ダンスはできないけど、ギターは少し弾けます。
ミノ	：あ、そうなんですか。
ヨンチョル	：週末毎に、友だちの家に集まって練習しています。 それから、毎年、学園祭のとき、公演もします。
ミノ	：わあ、すごいですね。僕はダンスだったら自信あるんだけど。 中学校のときからやってるんです。
ヨンチョル	：え、本当？一度見てみたいなあ。
ミノ	：明日、送別会で披露するんで期待していてください。

語句

혹시＜或是＞：ひょっとして　　～나：～や　　치다：弾く

-ㄹ 줄 알다：(することが)できる　　어：あ

주말＜週末＞：週末　　～마다：～ごと　　친구네 집：友だちの家

모이다：集まる　　매년＜每年＞：毎年　　공연＜公演＞：公演

대단하다：すごい　　～라면：～だったら、～なら

자신＜自信＞：自信　　중학교＜中學校＞：中学

-거든요：(する)んです　　환송회＜歡送會＞：送別会

보여 주다：見せてあげる　　-ㄹ 거니까：(する)つもりだから、(する)から

기대하다：期待する、楽しみにする

表現のしくみ

칠 줄 알아요 ← 치다＋ㄹ 줄 알다＋아요

모여서 ← 모이다 ＋어서　　　했거든요 ← 하다＋였＋거든요

보여 줄 거니까 ← 보여 주다＋ㄹ 거니까

기대하세요 ← 기대하다＋세요

発音

🔊76

못 하는데 [모타는데]　　칠 줄 [칠쭐]

연습해요 [연스패요]　　대단하다 [대다나다]

있는데 [인는데]　　보여줄 거니까 [보여줄꺼니까]

165

表現の ポ イ ン ト

1. -ㄹ/을 줄 알다·모르다　(する)ことができる・できない

「-ㄹ/을 줄 알다・모르다」は、「(する)やり方を知っている・知らない」ということから「できる・できない」という意味をあらわします。接続の型は**받침有無型**です。語幹末の받침が「ㄹ」の場合は「**ㄹ**」받침が脱落して「ㄹ 줄 알다・모르다」がつきます。「줄」は[쭐]と濃音で発音します。

無	치다	→	칠 줄 알아요
	弾く		弾き方を知っています、弾けます
有	입다	→	입을 줄 몰라요
	着る		着方を知りません、着られません
ㄹ↓	만들다	→	만들 줄 알아요?
	作る		作り方がわかりますか、作れますか

저는 장구도 칠 줄 알아요.　　　　　　私はチャンゴも演奏できます。

기모노를 입을 줄 몰라요.　　　　　　着物の着方を知りません。

유타 씨, 이런 것도 만들 줄 알아요?　裕太さん、こんなものも作れるんですか。

한 번 해 보 자

「-ㄹ/을 줄 알아요?」を使って言ってみよう。

① 피아노를 치다 → _____　ピアノが弾けますか。

② 스키를 타다　 → _____　スキーができますか。

③ 한글을 읽다　 → _____　ハングルが読めますか。

166

2. ～라면/이라면　～なら

「～라면/이라면」は、名詞について「～なら」という意味を表します。

無 너 君　　→　　너라면 君なら

有 게임 ゲーム　　→　　게임이라면 ゲームなら

너라면 할 수 있어.　　　　　君ならできる。

게임이라면 못 하는 게 없어요.　　ゲームならできないものはありません。

한 번 해 보자

「～라면/이라면」を使って言ってみよう。

① 한국어 / 잘 할 수 있어요.

→ ＿＿＿＿＿＿＿＿＿＿＿＿＿＿＿　韓国語なら上手にできます。

② 김치 / 보쌈 김치가 최고예요.

→ ＿＿＿＿＿＿＿＿＿＿＿＿＿＿＿　キムチと言えばポッサムキムチが一番です。

③ 학생 / 열심히 공부해야 하죠.

→ ＿＿＿＿＿＿＿＿＿＿＿＿＿＿＿　学生だったら一生懸命勉強しなきゃね。

④ 일요일 / 시간이 있어요.

→ ＿＿＿＿＿＿＿＿＿＿＿＿＿＿＿　日曜日なら時間があります。

167

3. -거든요 （する）んですよ（ね）

「-거든요」は、「（する）んですよ（ね）」のように、ことがらの理由や背景を説明するときに使われる表現です。接続の型は**単純型**です。過去を表す「-았/었/였-」に付けることもできます。

가다 行く　　　　　→　　　가거든요 行くんですよ（ね）

먹다 食べる　　　　→　　　먹거든요 食べるんですよ（ね）

못 잤다 寝られなかった　→　　못 잤거든요 寝られなかったんですよ（ね）

왜 그렇게 큰 가방을 샀어요?　　　　どうしてそんなに大きなカバンを買ったんですか。

-다음주에 한국에 가거든요.　　　　— 来週、韓国に行くんですよ。

김치를 그렇게 많이 담가요?　　　　キムチをそんなにたくさん漬けるんですか。

-네, 우리 식구들이 잘 먹거든요.　　— ええ、家族がよく食べるんですよね。

피곤해요?　　　　　　　　　　　　疲れてるんですか。

-아, 네. 어제 잠을 못 잤거든요.　　— ええ、昨日眠れなかったんです。

한 번 해 보자

「-거든요」を使って言ってみよう。

① 오늘은 시간이 없다　→ ＿＿＿＿＿＿＿＿＿　今日は時間がないんですよね。

② 학교 과제가 많다　　→ ＿＿＿＿＿＿＿＿＿　学校の課題がたくさんあるんですよね。

③ 만 원이면 충분하다　→ ＿＿＿＿＿＿＿＿＿　1万ウォンあれば充分なんです。

168

4. -ㄹ/을 거니까 (する)から、(する)だろうから

「-ㄹ/을 거니까」は、「(これから) (する)から、(する)だろうから」という意味を表します。「-ㄹ/을 것이다：(する)つもりだ、(する)だろう」に理由を表す「-니까」が付いたものです。接続の型は**받침有無型**です。語幹末の받침が「ㄹ」の場合は「ㄹ」받침が脱落して「ㄹ 거니까」が付きます。

無	잘 되다	→	잘 될 거니까
	うまくいく		うまくいくから
有	찍다	→	찍을 거니까
	撮る		撮るから
ㄹ↓	만들다	→	만들 거니까
	作る		作るから

잘 될 거니까 걱정하지 마세요.　　　うまくいくと思うから、心配しなくていいですよ。

사진 찍을 거니까 다들 모이세요.　　写真を撮るので、みなさん集まってください。

맛있는 거 만들 거니까 점심 먹지 말고 기다리세요.

　　　　　　おいしいものを作るから、昼ご飯を食べないで待っていてください。

한번 해 보자

「-ㄹ/을 거니까」を使って言ってみよう。

① 금방 가다 / 기다리세요. → _____ すぐ行くから待っててください。

② 시간이 있다 / 걱정 마세요. → _____ 時間があるだろうから心配しないでください。

③ 오늘 저녁은 뷔페를 먹다 / 지금은 참으세요.

　　→ _____
　　　　今日の夕食はバイキングを食べるから今は我慢してください。

169

1. 下記の絵を見て、例のように言ってみよう。

> 例　A　: 기타를 칠 줄 알아요?　　ギターを弾けますか。
>
> 　　B　: ○ → 네, 알아요.　　ええ、弾けます。
>
> 　　　　× → 아뇨, 못 해요.　　いいえ、できません。

①

피아노를 치다 (○)

②

테니스를 치다 (×)

③

케이크를 만들다 (○)

④

그림을 그리다 (×)

⑤

한글을 읽다 (○)

⑥

한국노래를 하다 (○)

2. 例のように対話してみよう。

> 例　피아노/ 매년 학교 축제 때 연주해요
>
> 　　A : 특기나 취미 같은 거 있어요?　　特技や趣味のようなものありますか。
>
> 　　B : 피아노라면 자신이 있어요.　　ピアノなら自信があります。
>
> 　　　　매년 학교 축제 때 연주하거든요.　　毎年、学園祭のとき演奏するんです。

① 한국어 / 스피치 대회에도 나갔어요

② 컴퓨터 / 모르는 게 없어요

③ 요리 / 주말마다 저녁을 제가 만들어요

그림 絵　　　그리다 描く　　　특기 特技　　　주말마다 每週

④ 유도 / 작년에 검은 띠를 땄어요
⑤ 댄스/ 중학교 때부터 했어요

3. 例のように言ってみよう。

> 例　내일 환송회 때 보여 주다 / 기대하다
>
> →　내일 환송회 때 보여 줄 거니까 기대하세요.
> 　　明日送別会のとき披露するんで期待していてください。

① 전국 대회에 나가다 / 응원해 주다
② 지금부터 한국 노래를 부르다 / 들어 보다
③ 학교 축제 때 콩트를 하다 / 재미있게 봐 주다
④ 전람회에 출품하다 / 시간이 있으면 보러 오다
⑤ 케이크는 제가 만들다 / 기대하다

같이 해 보자

1. Aさん、Bさんはそれぞれ何を自慢しているでしょう。日本語で言ってみよう。

A 씨	저는 케이크를 만들 줄 알아요. 친구 생일 때마다 생일 케이크를 만들어서 선물하거든요. 특히 치즈 케이크가 자신이 있어요. 제가 만든 케이크, 한 번 먹어 볼래요?
B 씨	저는 개그맨이 되는 게 꿈이에요. 친구하고 주말마다 집에서 연습해요. 친구하고 콤비거든요. 몸으로 하는 개그라면 자신이 있어요. 한번 해 볼까요?

2. 自分の好きなことや得意なことを話し合ってみよう。

유도 柔道	검은 띠를 따다 黒帯をとる	응원해 주다 応援してあげる
콩트 コント	재미있게 おもしろく　전람회 展覧会	출품 出品
개그맨 コメディアン	콤비 コンビ　몸 体	

171

평생 잊지 못할 거예요.
一生忘れられないでしょう。

🔊 77

別れやお礼の気持ちをメッセージや手紙で伝えることができる

🔊 78~80

< 감사의 편지 >

韓国の姉妹校との交流を終えて帰国したヨンチョルと有紀は、友だちになったイェジン（1年先輩）とミノ（同学年）にお礼の手紙を書きました。

예진 누나에게

그동안 잘 지냈어요? 3박 4일 동안 정말 즐거웠어요. 이번 홈스테이 경험은 평생 잊지 못 할 거예요. 부모님과 선생님들께도 안부 전해 주세요.

선물로 받은 시디는 매일 듣고 있어요. 돌아와서 한국말도 더 열심히 공부하고 있어요. 일본에 오면 꼭 연락 주세요.

그럼 다시 만날 날을 기다릴게요.

2012년 11월 25일

영철이가

민호에게

　그동안 잘 지냈어? 3박 4일 동안 정말 즐거웠어. 이번 홈스테이 경험은 평생 잊지 못 할 거야. 부모님과 선생님들께도 안부 전해 줘.

　선물로 받은 시디는 매일 듣고 있어. 돌아와서 한국말도 더 열심히 공부하고 있어. 일본에 오면 꼭 연락 줘.

　그럼 다시 만날 날을 기다릴게.

2012년 11월 25일

우에다 유키

< 感謝の手紙 >

イェジンさんへ

　その後、いかがお過ごしでしたか。3泊4日の間、本当に楽しかったです。今回のホームステイの経験は一生忘れることができません。ご両親と先生方にもよろしくお伝えください。

　プレゼントでもらったCDは毎日聞いています。帰ってきてから韓国語ももっと一生懸命勉強しています。日本に来たらぜひ連絡ください。

　では、また会える日を楽しみにしています。

2012年　11月　25日　　ヨンチョルより

ミノへ

　その後、元気にしてる？3泊4日の間、本当に楽しかった。今回のホームステイの経験は一生忘れられないと思う。ご両親と先生方にもよろしくお伝えしてね。

　プレゼントでもらったCDは毎日聞いてるよ。帰ってきてから韓国語ももっと一生懸命勉強しているよ。日本に来たらぜひ連絡ちょうだいね。

　じゃあ、また会える日を楽しみにしてるね。

2012年　11月　25日　　上田有紀

편지<便紙>：手紙	～에게：～に	그동안：その間、その後
잘 지내다：元気に過ごす	3[삼]박4[사]일：3泊4日	동안：間
즐겁다 ㅂ形 楽しい	홈스테이：ホームステイ	경험<經驗>：経験
평생<平生>：一生	잊다：忘れる	
-지 못하다：(する)ことができない		부모님<父母->：ご両親
～께：～に(目上の人に対して)	안부 전하다<安否 傳-->：よろしく伝える	
받다：もらう　　돌아오다：帰ってくる		더：もっと　　꼭：ぜひ、必ず
-ㄹ；未来連体形	날：日	

表現の しくみ

즐거웠어요 ← 즐겁다 + 었어요
잊지 못할 거예요 ← 잊다+지 못하다+ㄹ 거예요
안부 전해 주세요 ← 안부 전하다 + 여 주세요
받은 ← 받다+은　　　　　듣고 있어요 ← 듣다+고 있다+어요
돌아와서 ← 돌아오다+아서
공부하고 있어요 ← 공부하다+고 있다+어요
오면 ← 오다+면　　　　　만날 ← 만나다+ㄹ
기다릴게요 ← 기다리다+ㄹ게요

発音　🔊 81

3박4일 동안 [삼박싸일똥안]　못 할 거예요 [모탈꺼에요]
전해 주세요 [저내주세요]　만날 날 [만날랄]
기다릴게요 [기다릴께요]　못 할 거야 [모탈꺼야]

表現の ポイント

1. ～에게, ～께 ～に、～へ

「～에게」は「～한테」と同じく「(人・動物)に、へ」の意味を表し、相手が目上の場合は「～께」を使います。「～한테」は話しことばで、「～에게」は書きことばでよく使われます。

학생들 生徒たち	→	학생들에게 生徒たちへ
친구 友だち	→	친구에게 友だちに
선생님 先生	→	선생님께 先生に

서울 제일 고등학교 학생들에게　　ソウル第一高等学校の生徒たちへ

친구에게 보내는 선물이에요.　　友だちに送るプレゼントです。

선생님께 편지를 보낼 거예요.　　先生に手紙を送ります。

한 번 해 보 자

「～에게」または「～께」を使って言ってみよう。

① 예쁜 유키 / 사랑을 담아서

→ _____　　かわいい有紀に愛を込めて

② 형 / 할 말이 있어요

→ _____　　兄に話したいことがあります。

③ 유타 / 전해 주세요 → _____　　裕太に伝えてください。

④ 부모님 / 효도하세요→ _____　　ご両親に親孝行してください。

176

2. ～아, ～야　呼びかけ

「～아」、「～야」は下の名前に付いて、親しみを込めて呼びかけるときに使います。**받침がない**ときは「～야」、**받침がある**ときは「～아」を使います。

無	민호 ミノ	→	민호**야** ミノ
有	예진 イェジン	→	예진**아** イェジン

민호야 정말 고마워.　　　ミノ、ホントにありがとう。
예진아 꼭 놀러 와.　　　イェジン、絶対遊びに来てね。

한 번 해 보 자

「～야」または「～아」を使って言ってみよう。

① 영철 / 또 와　　→ ＿＿＿＿＿＿＿＿＿＿＿＿＿＿＿　ヨンチョル、また来てね。

② 유키 / 잘 지냈어　→ ＿＿＿＿＿＿＿＿＿＿＿＿＿＿＿　有紀、元気だった？

③ 선아 / 답장 늦어서 미안해

　→ ＿＿＿＿＿＿＿＿＿＿＿＿＿＿＿＿＿＿＿　ソナ、返事が遅くなってごめんね。

④ 지환 / 보고 싶어　→ ＿＿＿＿＿＿＿＿＿＿＿＿＿＿＿　チファン、会いたい。

3. -지 못하다　～できない

「-지 못하다」は「～できない」という不可能の意味を表します。「못-」と言いかえることができます。接続の型は**単純型**です。

먹다　　　　→　　먹지 못했어요
食べる　　　　　　　食べられませんでした

참가하다　→　　참가하지 못할 거예요
参加する　　　　　　参加できないと思います

배가 아파서 아침부터 아무것도 먹지 못했어요.

お腹が痛くて、朝から何も食べられませんでした。

이번 대회에는 참가하지 못할 거예요.

今回の大会には参加できないと思います。

한 번 해 보 자

「-지 못했어요」を使って言ってみよう。

① 가다　　　　　　→　_____　行けませんでした。

② 예쁘게 찍다　　→　_____　きれいに撮れませんでした。

③ 재미있게 놀다　→　_____　楽しく遊べませんでした。

④ 말하다　　　　　→　_____　言えませんでした。

178

4. -ㄹ/을　未来連体形

「-ㄹ/을」は「いつか会える日」のように、実現していない動作や状態を表す連体形の語尾です。接続の型は**받침有無型**です。語幹末の받침が「ㄹ」の場合は「ㄹ」받침が**脱落**して「ㄹ」が付きます。

無	드시다 召しあがる	+ 음식 食べ物	→ 드실 음식 召し上がる(食べ)物
有	읽다 読む	+ 차례 順番	→ 읽을 차례 読む順番
ㄹ↓	알다 知る	+ 필요 必要	→ 알 필요 知る必要

손님이 드실 음식을 준비하세요.　　　　お客さん召し上がるものを準備してください。

제가 읽을 차례예요.　　　　　　　　　　私が読む順番です。

그런 것까지 알 필요 없어요.　　　　　　そんなことまで知る必要ありません。

한 번 해 보자

「-ㄹ/을」を使って言ってみよう。

① 오늘 하다 + 일　　　　→ ＿＿＿＿＿＿＿＿＿＿＿＿　今日、すること

② 내일 입다 + 옷　　　　→ ＿＿＿＿＿＿＿＿＿＿＿＿　明日、着る服

③ 나중에 받다 + 서류　　→ ＿＿＿＿＿＿＿＿＿＿＿＿　後でもらう書類

④ 앞으로 배우다 + 과목　→ ＿＿＿＿＿＿＿＿＿＿＿＿　これから学ぶ科目

179

☆ 手紙やメールの文例・表現集 ☆

1. 呼びかけ
   1) 지현이에게, 지현아~
   2) 은미에게, 은미야~
   3) 잘 지내지?

2. 季節のあいさつなど
   1) 일본은 요즘 많이 더워.
   2) 갑자기 추워졌어.
   3) 새해 복 많이 받으세요.

3. おわび、感謝の気持ち
   1) 답장 늦어서 정말 미안해.
   2) 정말 고마웠어.
   3) 유진이가 나한테 여러가지 신경을 써 줘서 정말 고마웠어.
   4) 맛있는 음식을 많이 만들어 주셔서 정말 감사합니다.
   5) 공항까지 데려다 주셔서 고맙습니다.

4. ホームステイや韓国での思い出
   1) 이틀동안 셋이서 같이 지낸 건 정말 즐거웠어.
   2) 이번에 한국에 간 건 내 인생 최고의 추억이야.
   3) 잠깐 동안이었지만 정말 즐거웠어.
   4) 내가 한국에 가서 선하랑 같이 놀고, 선하네 학교에 가 본 것은
      내 평생 잊지 못할 추억이 될거야.
   5) 아침 늦게 일어나서 죄송합니다.

지현 チヒョン(人名)　　은미 ウンミ(人名)　　요즘 最近　　　　　　갑자기 突然
추워지다 寒くなる　　새해 복 많이 받으세요 あけましておめでとうございます
답장 返事　　　　　　유진 ユジン(人名)　여러가지 いろいろ　　　신경을 쓰다 気を遣う
데려다 주다 連れて行ってくれる　　　이틀 二日(ふつか)　　　셋이서 3人で
잠깐 동안 短い間　　～랑 ～と　　　　선하네 학교 ソナの学校　추억 思い出

5. 日本に帰国してからの報告
   1）난 일본에 무사히 돌아와서 잘 지내고 있어.
   2）나, 정말 한국이 많이 좋아졌어.
   3）나 요즘 한국 드라마 매일 보고 있어.
   4）일본에 돌아와서 한국어를 열심히 공부하고 있어요.

6. 手紙やメールをもらって
   1）답장 받고 너무나 기뻤어요.
   2）내가 앞으로 일본말 많이 가르쳐 줄게요.
   3）다음 번 편지에 선아의 사진을 보내 줄래요?

7. 再会を願って
   1）일본에 올 때는 꼭 연락해야 돼~!
   2）선하가 다음에 놀러 오기를 기다릴게.
   3）또 같이 놀 수 있는 날이 빨리 왔으면 좋겠다.
   4）다음에 만날 기회가 있었으면 좋겠다.
   5）행복하게 지냈으면 좋겠어.

8. 結びのことば
   1）잘 있어. 안녕.
   2）일본에 오면 꼭 연락 줘.
   3）감기 조심하세요.
   4）또 편지 쓸게.

무사히 無事に	좋아지다 好きになる	너무나 とても	다음 번 今度、次回
꼭 必ず、きっと	오기 来ること	또 また	빨리 早く
기회 機会	행복하다 幸せだ	잘 있다 元気だ	감기 風邪

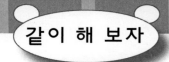
1. 例のように4行程度で韓国の友だちにメッセージを書いてみよう。

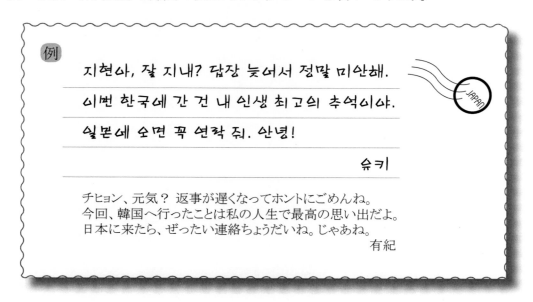

例

지현아, 잘 지내? 답장 늦어서 정말 미안해.

이번 한국에 간 건 내 인생 최고의 추억이야.

일본에 오면 꼭 연락 줘. 안녕!

슈키

チヒョン、元気？ 返事が遅くなってホントにごめんね。
今回、韓国へ行ったことは私の人生で最高の思い出だよ。
日本に来たら、ぜったい連絡ちょうだいね。じゃあね。
有紀

2. 韓国の高校生があなたの学校で交流会をしました。その友達から下のようなメール
が来ました。そのメールに返事を書いてみよう。

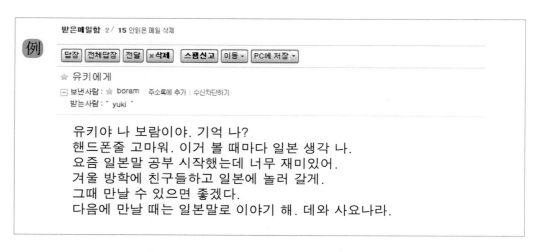

받은메일함 2/ 15 안읽은 메일 삭제

例

| 답장 | 전체답장 | 전달 | ✕삭제 | 스팸신고 | 이동 ▾ | PC에 저장 ▾ |

☆ 유키에게

보낸사람 : ☆ boram   주소록에 추가 | 수신차단하기
받는사람 : " yuki "

유키야 나 보람이야. 기억 나?
핸드폰줄 고마워. 이거 볼 때마다 일본 생각 나.
요즘 일본말 공부 시작했는데 너무 재미있어.
겨울 방학에 친구들하고 일본에 놀러 갈게.
그때 만날 수 있으면 좋겠다.
다음에 만날 때는 일본말로 이야기 해. 데와 사요나라.

3. 韓国で4泊5日ホームステイをしました。その家族へお礼の手紙を書いてみよう。

인생 人生   최고 最高   기억 나다 覚えている   생각나다 思い出す

単語リスト（韓国語 ⇨ 日本語）

記号の説明

～ ：～の部分に名詞の類が入る。

－ ：－の部分に用言語幹が入る。（日本語訳にある「-」は用言の活用形が入る。）

〈 〉：漢字表記。漢字で表記できない部分は'－'で表した。

[ ]：発音表記。特に必要と判断された場合にのみ表示。発音変化のない部分は一部'－'で表した。

⬜：品詞記号。その語句を使用する際に必要な品詞情報等をアイコン化した。

動 動詞　形 形容詞　存 存在詞
指 指定詞
ㅂ形 ㅂ変則形容詞　ㅂ動 ㅂ変則動詞
ㄷ動 ㄷ変則動詞　ㅎ形 ㅎ変則形容詞
ㄹ動 ㄹ変則動詞　ㄹ形 ㄹ変則形容詞
으動 으語幹動詞　으形 으語幹形容詞
漢単 漢字語数詞に付く単位名詞
固単 固有語数詞に付く単位名詞

ㄱ

韓国語	日本語
～가	①～が　②～は(疑問詞を含む疑問文で)
～가 되다	動 ～になる
～가 뭐예요?	①～はなんですか　②～って何ですか
～가 아니에요(?)	～ではありません(か)
가게	店
가깝다	ㅂ形 近い
가다	動 行く
가르치다	動 教える
가방	カバン
가볍다	ㅂ形 軽い
가사〈歌詞〉	歌詞
가수〈歌手〉	歌手
가위	はさみ

韓国語	日本語
가져다 주다	動 持って来てくれる
가지고 가다	動 持って帰る、持って行く
가지고 오다	動 持って来る
간장〈－醤〉	醤油
간호사〈看護師〉	看護師
갈비탕	カルビスープ
갈아입다	動 着替える
갈아타다	動 乗り換える
감기〈感氣〉	風邪
감동을 받다〈感動――〉	動 感動する
감사하다〈感謝――〉	動 感謝する
감사합니다〈感謝―――〉[――합니다]	ありがとうございます
갑자기	突然
값[갑]	値段
갔다 오다	動 行ってくる
강국〈強國〉	強国
강아지	子犬、犬
～같은 거	～みたいなもの
같이[가치]	一緒に
～개〈個〉	固単 ～個
개구리	蛙
개그	ギャグ
개그맨	コメディアン、お笑い芸人
～개월〈個月〉	漢単 ～ヶ月
거	「것：こと、もの」の縮約形
거기서	そこで
-거든요	-んです、-んですよ
거짓말[거진말]	うそ
거짓말을 하다	動 うそをつく
걱정	心配
건	「것은：ものは」の縮約形
건너편〈――便〉	向かい側
건물〈建物〉	建物
걷다	ㄷ動 歩く
걸리다	動 かかる
검은 띠를 따다	動 黒帯を取る
것	こと、もの
게	「것이：ことが」の縮約形

-게 되다	動 (する)ことになる	과일	果物
게임	ゲーム	과자〈菓子〉	菓子
게임기〈ーー機〉	ゲーム機	과제〈課題〉	課題
-겠다!	-だろうなあ、-そうだな	관객〈觀客〉	観客
겨울	冬	관계〈關係〉	関係
결석하다〈欠席ーー〉[결써카다]	動 欠席する	관광객〈觀光客〉	観光客
결혼〈結婚〉[겨론]	結婚	괜찮다[괜찬타]	形 大丈夫だ、構わない
결혼하다〈結婚ーー〉[겨로나다]	動 結婚する	굉장히〈宏壯ー〉	すごく
경치〈景致〉	景色	교실〈教室〉	教室
경험〈經驗〉	経験	교장 선생님〈校長先生ー〉	校長先生
계기〈契機〉	きっかけ	교토	京都
계산〈計算〉	計算、会計	교통카드〈交通ーー〉	交通カード(バス・地下鉄のICカード)
계시다	存 いらっしゃる		
-고	(し)、(する)し、(し)て;並列	구〈九〉	九
-고 싶다	形 (し)たい	구경하다〈求景ーー〉	動 見物する
-고 있다	存 (し)ている;進行	구두	靴
고기	肉	구분〈區分〉	区分
고등학교〈高等學校〉	高校、高等学校	국제전화〈國際電話〉	国際電話
고등학생〈高等學生〉	高校生	굽	(靴の)かかと
고르다	ㄹ動 選ぶ	귀걸이	イヤリング
고맙다	ㅂ形 ありがたい	귀빈석〈貴賓席〉	来賓席、VIP席
고모〈姑母〉	(父方の)おば	귀엽다	ㅂ形 かわいい
고민하다〈苦悶ーー〉[고미나다]	動 悩む	그 ~	その ~
고소하다	形 香ばしい	그것만[그건만]	それだけ
고속철도〈高速鐵道〉[고속철또]	高速鉄道	그냥	ただ、ただの~
고야	ゴーヤ	그동안	その間、その後
고양이	猫	그때	その時
고장나다〈故障ーー〉	動 故障する	그래서	それで、だから
고추	とうがらし	그래요(?)	そうです(か)
고추장〈ーー醬〉	とうがらしみそ	그런데	ところで、でも
(배가)고프다	으形 (お腹が)空いている	그럼	じゃあ、では
곱다	ㅂ形 きれいだ	그렇게[그러케]	そのように、そんなに
곳	所、場所	그렇다[그러타]	ㅎ形 そのようだ、そうだ
공	ボール	그렇죠?[그러쵸?]	そうでしょう?
공〈空〉	零、ゼロ	그리고	そして
공무원〈公務員〉	公務員	그리다	動 描く
공부〈工夫〉	勉強	그림	絵
공연〈公演〉	公演	그쪽	そっち、そちら
공원〈公園〉	公園	근처〈近處〉	近く、近所
공항〈空港〉	空港	금방〈今方〉	すぐ
~과	~と	금요일〈金曜日〉	金曜日
과목〈科目〉	科目	기간〈期間〉	期間

기념사진＜記念寫眞＞	記念写真
기다리다	動 待つ
기대하다＜期待－－＞	動 期待する、楽しみにする
기린＜麒麟＞	キリン
기모노	着物
기분＜氣分＞	気分
기쁘다	ㅇ形 うれしい
기억나다＜記憶－＞[기엉나다]	動 思い出す
기타	ギター
기회＜機會＞	機会
긴 거	長いもの
길	道
길다	形 長い
김	海苔
김밥[－빱]	のり巻
김치	① キムチ ② チーズ！（写真を撮るときの掛け声）
김치찌개	キムチチゲ
깊다	形 深い
까맣다[까마타]	ㅎ形 黒い
깜짝 놀라다[깜짱놀라다]	動 びっくりする
깨끗하다[깨끄타다]	形 きれいだ、汚れがない、清潔だ
깨다	動 割る
깨우다	動 起こす、目覚めさせる
～께	～に；目上の人に対して
꼭	ぜひ、必ず
꿈	夢
（전원을）끄다	ㅇ動 (電源を)切る、消す
끊다[끈타]	動 切る、断つ
끓이다[끄리다]	動 沸かす、煮る
끝	終わり、最後
～끼리	～同士

ㄴ

－ㄴ	動詞過去連体形語尾
－ㄴ	形容詞現在連体形語尾
－ㄴ데	-んだけど
－ㄴ데요	-んですけど
나	私、僕；同年輩・年下の人の前で

～나	～や
나가다	動 出る
나가사키	長崎
나고야	名古屋
나라	国
나라현＜－－縣＞	奈良県
나쁘다	ㅇ形 悪い、よくない
나오다	動 出る、出てくる
나중에	あとで
난	「나는：私は、僕は」の縮約形
날	日(ひ)
날계란＜－鷄卵＞	生卵
남다[남따]	動 残る
남자 친구＜男子親舊＞	男友達、彼氏
남자＜男子＞	男子、男、男の人
낮다	形 低い
낳다[나타]	動 産む
내 ～	私の～、僕の～
내가	私が、僕が
내리다	動 降りる
내일＜來日＞	明日
냄비	鍋
냄새가 나다	動 臭う、臭いがする
냉면＜冷麵＞	冷麺
냉장고＜冷藏庫＞	冷蔵庫
너	お前
너무나	とても、あまりにも
넓다[널따]	形 広い
넣다[너타]	動 入れる
네	はい、ええ
네 ～	4～、4つの～
－네요	-ですね、(し)ますね
넷	四つ
～년＜年＞	漢単 ～年
노는 날	休日
노란색＜－－色＞	黄色
노랗다[노라타]	ㅎ形 黄色い
노래	歌
노래방＜－－房＞	カラオケボックス
노트	ノート
녹차＜綠茶＞	緑茶

韓国朝鮮語		日本語
놀다	動	遊ぶ、休む
놀이공원〈ーー公園〉		遊園地
높다	形	高い
놓다[노타]	動	のせる、置く
놓치다	動	（乗り物に）乗り遅れる
누나		姉（弟から見て）
누르다	ㄹ動	押す
눈		雪
느끼하다	形	脂っこい
-는		動詞現在連体形語尾、存在詞現在連体形語尾
～는		～は
-는데		-んだけど、-のだが；前置き
-는데요		-んですけど
늦게		遅く
늦다	形	遅れる、遅い
늦잠을 자다	動	寝坊する
-니까		-から、-ので

ㄷ

다		みんな、全部、すべて
-다!		-だ！；感嘆
다녀오다	動	行ってくる
다니다	動	通う
다들		みんな、皆さん
다르다	ㄹ形	異なる
다섯		五つ
다시		もう一度
다음		次
다음 주〈ー週〉[다음쭈]		来週
다이어트		ダイエット
단 것		甘いもの
닫다	動	閉める
달		月
달걀		卵
달다	形	甘い
달콤하다[달코마다]	形	甘ったるい
（김치를）담그다	ㅡ動	（キムチを）漬ける
담다[담따]	動	込める、盛る
담당자〈擔當者〉		担当者

담임 선생님〈擔任先生ー〉		担任の先生
답장〈答狀〉		返事
대단하다[대다나다]	形	すごい
～대로		～通りに、～のままに
대사〈台詞〉		セリフ
대추차〈ーー茶〉		なつめ茶
대표〈代表〉		代表
대학 입시〈大學入試〉		大学入試
대학생〈大學生〉		大学生
대회〈大會〉		大会
댄서		ダンサー
댄스		ダンス
더		もっと
덥다	ㅂ形	熱い
데려다 주다	動	連れて行ってくれる
～도		～も
도서관〈圖書館〉		図書館
도시락		弁当
도와주다	動	手伝ってくれる
도착〈到着〉		到着
도쿄		東京
돈		お金
돌아오다	動	帰ってくる
돕다	ㅂ動	助ける
동네		町、近所
동대문시장〈東大門市場〉		トンデムン市場
동료〈同僚〉[동뇨]		同僚
동생〈同生〉		妹、弟
～ 동안		～の間（行事や出来事の期間）
된장〈ー醬〉		みそ
두		2～、2つの～
둘		二つ
드라마		ドラマ
드라이어		ドライヤー
드리다	動	さしあげる
드세요		召し上がってください
드시다	動	召し上がる
듣다	ㄷ動	聞く
～들		～たち
（손을）들다	動	（手を）上げる
들르다	ㅡ動	寄る

들어 주세요	聞いてください
들어가다	動 入る
DVD[디브이디]	DVD
디자이너	デザイナー
따뜻하다[따뜨타다]	形 暖かい
따라가다	動 ついて行く
따라 하다	動 後について言う
따르다	으動 従う
~ 때	~の時
~ 때문에	~のせいで、~のために
떠들다	動 騒ぐ
떡볶이	トッポッキ(ピリ辛餅炒め)
또	また
똑똑하다[똑또카다]	形 賢い
뜨겁다	ㅂ形 熱い

ㄹ

-ㄹ	未来連体形
-ㄹ 거니까[ㄹ꺼니까]	(する)つもりだから、(する)から
-ㄹ 거예요[ㄹ꺼에요]	(し)ようと思います、(する)つもりです;予定・心づもり
-ㄹ게요[ㄹ께요]	(し)ますね、(し)ますから
-ㄹ까요?	(し)ましょうか
-ㄹ 때	(する)時
-ㄹ래요?	(し)ますか
-ㄹ 수 없다[ㄹ쑤업따]	存 (する)ことができない
-ㄹ 수 있다[ㄹ쑤 ――]	存 (する)ことができる
-ㄹ 줄 모르다[ㄹ쭐 ―――]	ㄹ動 (する)ことができない
-ㄹ 줄 알다[ㄹ쭐 ――]	動 (する)ことができる
~라고	~と;引用
~라는 ~	~という~
~라면	~だったら、~なら
라지 사이즈	Lサイズ
~랑	~と;羅列
-러 가다	動 (し)に行く
레몬	レモン
~로	~で;手段
~로 가다	動 ~のほうに行く
롤러코스터	ジェットコースター
~를	~を
~를 가지고	~で;道具
~를 만나다	動 ~に会う
~를 위해	~のために
~를 타다	動 ~に乗る

ㅁ

~마다	~ごとに
마라톤 대회<―――大會>	マラソン大会
마시다	動 飲む
마요네즈	マヨネーズ
마음	心、気持ち
마음에 안 들다	動 気に入らない
마음이 안 좋다[―조타]	形 いたたまれない、落ち込む
마트	スーパーマーケット
마흔	四十
~만	~だけ、~さえ
만<萬>	万
만<滿>	満
만나다	動 会う
만두<饅頭>	餃子
만들다	動 作る
만점<満点>[만쩜]	満点
만화<慢畵>[마놔]	漫画
만화책<漫畵冊>[마놔책]	漫画(本)
많다[만타]	形 多い
많이[마니]	たくさん
말	ことば、話
말다	動 巻く
말하기 대회<―大会>[마라기대회]	スピーチ大会
말하다	動 話す
맛없다[마덥따]	存 まずい
맛있는 ~[마신는]	おいしい~
맛있다[마신따]	存 おいしい
맞다	動 合う、合っている、そのとおりだ
맡다	動 任されている

매년<毎年>	毎年
매일<毎日>	毎日
맵다	ㅂ形 辛い
머리	頭
먹다	動 食べる
먹지 말고	食べずに
먼저	先に
멀다	形 遠い
멋있다	存 カッコいい
멋지게	カッコよく
메일	メール、Eメール
메일 주소<――住所>	メールアドレス
-면	(す)れば
-면 돼요(?)	(す)ればいいです(か)
-면 안 되다	動 (し)てはいけない
～면	～なら
면세점<免税店>	免税店
～ 명<名>	漢単 ～名、～人
몇 ～	何～ (数を尋ねる)
몇 분	何名様
몇 시<―時>	何時
모든 ～	すべての～
모르다	ㄹ動 知らない
모으다	으動 集める、貯める
모이다	動 集まる
모자<帽子>	帽子
목요일<木曜日>	木曜日
목욕하다<沐浴――>[모교카다]	動 お風呂に入る、入浴する
목표<目標>	目標
몸	体
몸에 좋다[――조타]	形 体にいい
몸이 아프다	으形 体の具合が悪い
못 -	-できない
무겁다	ㅂ形 重い
무사히<無事―>	無事に
무섭다	ㅂ形 怖い
무슨 ～	なんの～、どんな～
무엇	何
무척	とても
문제<問題>	問題
문화 센터<文化――>[무놔――]	文化センター

묻다	ㄷ動 聞く
물	水
물김치	水キムチ
뭐	「무엇:何」の縮約形
미국<美國>	アメリカ
미안하다<未安――>[미아나다]	形 すまない、申し訳ない
민속촌<民俗村>	民俗村
민호[미노]	ミノ(人名)

ㅂ

바꾸다	動 替える
바다	海
바닷가	海辺
바로	すぐ、まさに
바르다	ㄹ動 塗る
바쁘다	으形 忙しい
바지	ズボン
박물관<博物館>[방물관]	博物館
박수<拍手>	拍手
～박 ～일<―泊―日>	～泊～日
밖	外、そと
반<半>	半、半分
반<班>	クラス、班
반갑다	ㅂ形 (会えて)うれしい
반바지<半――>	半ズボン
반응<反應>	反応
받다	動 もらう、受け取る
발표<發表>	発表
밤	夜
밤늦게	夜遅く
밤하늘[바마늘]	夜空
밥	ご飯
방<房>	部屋
방과후<放課後>	放課後
방문하다<訪問――>[방무나다]	動 訪問する
방법<方法>	方法
방학<放學>	(学校の)休み
배	お腹
배고프다	으形 お腹がすく

배드민턴	バドミントン
배우<俳優>	俳優
배우다	動 習う、学ぶ
백<百>	百
백만<百万>[뱅만]	百万
백화점<百貨店>[배콰점] 百貨店	
버리다	動 捨てる
버스	バス
～ 번<番>	～番
(돈을)벌다	動 (お金を)稼ぐ
벗다	動 脱ぐ
별로<別─>	あまり(…ない)
병원<病院>	病院
보내다	動 送る
보다	動 見る、会う
(시험을) 보다	(試験を)受ける
보쌈 김치	ポッサムキムチ(料理名)
보여주다	動 見せてあげる
보이다	見せる
보자기	風呂敷
복습하다<復習──> 動 [복스파다] 復習する	
볼링을 치다	動 ボーリングをする
봄 방학<─放學>[봄 빵학] 春休み	
부럽다	ㅂ形 うらやましい
부르다	ㄹ動 歌う、呼ぶ
(배가) 부르다	ㄹ形 (お腹が)一杯だ
부모님<父母─>	ご両親、両親
부탁하다<付託──>[부타카다] 動 お願いする	
～부터	～から；時を表す名詞に付く
～ 분	～の方 (かた)；「사람(人)」の尊敬形
～분<分>	～分 (ふん)
불고기	プルコギ(韓国風すき焼き)
불고기정식<─定食>プルコギ定食	
불국사<佛國寺>	仏国寺
불꽃놀이[불꼰노리] 花火	
불다	動 吹く
붕어빵	たい焼き
뷔페	バイキング(料理)

브라질	ブラジル
비	雨
비디오	ビデオ
비비다	動 混ぜる
비빔밥[비빔빱]	ビビンバ(料理名)
비싸다	形 (値段が)高い
비행기<飛行機>	飛行機
빌리다	動 借りる、貸す
빠르다	ㄹ形 速い
빨간색<──色>	赤
빨갛다[빨가타]	ㅎ形 赤い
빨리	早く
빵	パン
빵집 [빵찝]	パン屋

人

사<四>	四
사과<沙果>	リンゴ
사귀다	動 付き合う
사다	動 買う
사다 주다	動 買って来てくれる
사람	人
사랑	愛
사랑하다	動 愛する
사이좋게[사이조케]	仲良く
사전<辭典>	辞書
사진<寫眞>	写真
산<山>	山
～ 살	固単 ～歳
살다	動 暮らす、住む
삼<三>	三
삼겹살<三──>	サムギョプサル(料理名)、豚の三枚肉(バラ肉)の焼き肉
삼대축제<三大祝祭> 三大祭り	
상추	サンチュ、チシャ
새 학기<─學期>	新学期
새해 복 많이 받으세요<──福─>[─봉마니─] 明けましておめでとうございます	
샌드위치	サンドイッチ
생각나다[생강나다] 動 思い出す	

생각보다		思ったより
생각하다[생가카다]	動	考える、思う
생강차〈生姜茶〉		生姜茶
생기다	動	できる、起きる
생일〈生日〉		誕生日
생크림〈生――〉		生クリーム
서른		三十
서울역〈――駅〉[서울력]		ソウル駅
서울타워		ソウルタワー
서점〈書店〉		書店
서투르다	ㄹ形	不慣れだ、ぎこちない
선거〈選擧〉		選挙
선물〈膳物〉		お土産、プレゼント
선배〈先輩〉		先輩
선불〈先拂〉		前払い
선생님〈先生―〉		先生
선수〈選手〉		選手
선아		ソナ〈善雅〉（人名）
선아네 학교〈――學校〉[서나네―]		ソナの学校
설날[설랄]		元旦
설탕〈雪糖〉		砂糖
세계유산〈世界遺産〉		世界遺産
세 ~		3～、3つの～
-세요		（し）てください
~세요(?)		～でいらっしゃいます(か)
세일		セール、バーゲン
센터시험〈――試験〉		センター試験
셋		三つ
셋이서		三人で
소개〈紹介〉		紹介
소금		塩
소리		音、声
소문〈所聞〉		噂
소스		ソース、タレ
소풍〈逍風〉		遠足
손		手
손님		お客様
손수건〈-手巾〉		ハンカチ
손톱		爪
쇠고기카레		ビーフカレー
쇼핑		ショッピング、買い物

수능시험〈修能試驗〉		修学能力試験(日本の大学入試センター試験にあたる)
수업〈授業〉		授業
수영〈水泳〉		水泳
수영부〈水泳部〉		水泳部
수첩〈手帖〉		手帳
수학〈數學〉		数学
수학여행〈修學旅行〉[수앙녀행]		修学旅行
숙제〈宿題〉		宿題
숙제하다〈宿題――〉	動	宿題する
순두부찌개〈純豆腐――〉		スンドゥブチゲ(料理名)
쉬는 시간〈――時間〉		休み時間
쉬다	動	休む
쉰		五十
쉽다	ㅂ形	易しい、簡単だ
스무 명		二十人
스물		二十
스카이 트리		スカイツリー
스키		スキー
스포츠		スポーツ
스피치 대회〈―大會〉		スピーチ大会
슬프다	ㅇ形	悲しい
-습니다		-です、-ます
-시-		尊敬の意を表す補助語幹
~시〈時〉	固単	～時
시간〈時間〉		時間
시골		田舎
시끄럽다	ㅂ形	うるさい
시다	形	酸っぱい
CD[시디]		CD
시설〈施設〉		施設
시원하다[시워나다]	形	さっぱりしている、涼しい
시월〈十月〉		10月
시작하겠습니다〈始作―〉[시자카게씀니다]		始めます
시작하다〈始作――〉[시자카다]	動	始める
시키다	動	注文する
시험〈試驗〉		試験
식구〈食口〉		家族

190

식권\<食券\>	食券	-아도 되다	動 (し)てもいい
식당\<食堂\>	食堂	아까	さっき
식사\<食事\>	食事	아뇨	いいえ
식초\<食酢\>	酢	아니다	指 違う、～ではない
신경을 쓰다\<神經ーー\>	으動 気を使う	～ 아니에요?	～じゃないですか
신나게	楽しく	아르바이트	アルバイト
신다[신따]	動 (靴を)履く	아름답다	ㅂ形 美しい
신문 기사\<新聞記事\>	新聞記事	아무것도	何も(…ない)
신발	靴、履物	아무도	誰も(…ない)
신청하다\<申請ーー\>	動 申請する	-아서	(し)て;先行動作・理由
신칸센	新幹線	-아야 되다	(し)なければならない
실은\<實ー\>	実は	아저씨	おじさん
싫다[실타]	形 嫌いだ	아주	とても
심리\<心理\>[심니]	心理	아주머니	おばさん
십\<十\>	十	아줌마	おばちゃん
십만\<十萬\>[심만]	十万	아직	まだ
싱가포르	シンガポール	아침	① 朝 ② 朝ご飯
싱겁다	ㅂ形 味がうすい	아프다	으形 痛い
싸게	安く	아홉	九つ
싸다	動 包む	아흔	九十
싸다	形 安い	악세서리	アクセサリー
싸우다	動 けんかする	안	中
쌀과자\<ー菓子\>	米菓子、おかき、おせんべい	안 -	(し)ない、-くない;用言の否定
쌍화차\<雙和茶\>	サンファ茶(漢方薬のようなお茶)	안 되다	動 だめだ
쌓이다[싸이다]	動 積もる	안내\<案内\>	案内
썬크림	日焼け止めクリーム	안내원\<案内員\>	案内員
쓰다	으形 苦い	안녕\<安寧\>	元気？おはよう！バイバイ！
(모자를)쓰다	으動 (帽子を)かぶる		
쓰다	으動 書く	안부 전하다\<安否傳ーー\>	動 よろしく伝える
쓰다	으動 使う	앉다[안따]	動 座る
쓰레기	ゴミ	알다	動 知る、分かる
～씨\<氏\>	～さん	알리다	動 知らせる、教える
		앗	あっ
○		-았으면 좋겠다	(し)たらうれしい
		앞	前(空間的な)
-아 보다	動 (し)てみる	앞날[암날]	将来
-아 본 적(이) 없다	存 (し)たことがない	앞으로	これから、将来
-아 본 적(이) 있다	存 (し)たことがある	앞치마	エプロン
-아 주세요	(し)てください	애	「아이:子」の縮約形
-아 주시겠어요?	(し)ていただけますか	애인\<愛人\>	恋人
		야구\<野球\>	野球

야구부〈野球部〉	野球部	여기서	ここで
야채〈野菜〉	野菜	여기요	あのう、すみません（食堂などで注文のため店員を呼ぶことば）
약속〈約束〉	約束		
양념장〈ーー醬〉	タレ		
-어	반말(ため口)の語尾	여덟[여덜]	八つ
어	あれ？、おや？、うん	여동생〈女同生〉	妹
-어 보다	動 (し)てみる	여든	八十
-어 본 적(이) 없다	存 (し)たことがない	여러 가지	色々
-어 본 적(이) 있다	存 (し)たことがある	여러분	みなさん
-어 주세요	(し)てください	여름	夏
-어 주시겠어요?	(し)ていただけますか	여름 방학〈ー放學〉[ー빵학]	夏休み
-어도 되다	動 (し)てもいい	여섯	六つ
어디	どこ	여자〈女子〉	女子
어디서	どこで	여자 친구〈女子親舊〉	女友達、彼女
어때요?	どうですか	여행〈旅行〉	旅行
어땠어요?	どうでしたか	여행을 가다〈旅行ー〉	動 旅行に行く
어떻게[어떠케]	どうやって、どのように	여행을 다니다〈旅行ー〉	動 旅行してまわる
어떻다[어떠타]	ㅎ形 どのようだ、どうだ	역〈驛〉	駅
어렵다	ㅂ形 難しい	연〈鳶〉	凧
어른	大人	연락〈連絡〉[열락]	連絡
어린이	子ども	연습〈練習〉	練習
어머	あら；女性の感嘆詞	연습하다〈練習ーー〉[연스파다]	動 練習する
어머니	お母さん		
-어서	(し)て；先行動作・理由	연예인〈演藝人〉	芸能人
어서 오세요	いらっしゃいませ	연주〈演奏〉	演奏
-어야 되다	動 (し)なければならない	연휴〈連休〉[여뉴]	連休
어울리다	動 似合う	열	とお
어제	昨日	열둘[열뚤]	十二
언니	お姉さん（妹から見て）	열쇠	鍵
언제	いつ	열쇠고리	キーホルダー
얼굴	顔	열심히〈熱心ー〉[열씨미]	一生懸命
얼마	いくら	열심히 하다〈熱心ーー〉	動 がんばる
없다[업따]	存 ない	열하나[여라나]	十一
~에	~で；値段を表す	영〈零〉	零
~에	~に、へ；時、場所、方向	영어〈英語〉	英語
~에게	~に；人に付いて	영어 학원〈英語 學院〉	英会話教室、英語学校
~에서	~で；場所	영철〈英哲〉	ヨンチョル（人名）
~엔〈円〉	漢単 ~円	영화〈映畫〉	映画
N서울타워[엔ー]	Nソウルタワー	옆	横、隣
여기	①ここ、ここに ②はい、これ（物を手渡す時のことば）	옆 집	隣の家
		예매하다〈豫買ーー〉	動 前売り切符を買う
		예쁘게	きれいに

韓国朝鮮語	日本語
예쁘다	［으形］ かわいい、きれいだ
예순	六十
예약＜豫約＞	予約
～예요(?)	～です(か)
예전	以前、昔
예진	イェジン(人名)
옛날［옌날］	昔
오＜五＞	五
오늘	今日
오늘 안으로	今日中に
오다	［動］ 来る
(눈이)오다	［動］ (雪が)降る
오래 살다	［動］ 長生きする
오래간만에	久しぶりに
오래오래	末長くいつまでも
오른쪽	右、右側
오미자차＜五味子茶＞	オミジャ茶
오빠	お兄さん(妹から見て)
오사카	大阪
오전＜午前＞	午前
오키나와	沖縄
오후＜午後＞	午後
올해［오래］	今年
옷	服
와	わあ
～와 같이	～のように
～와	～と；羅列
왕자＜王子＞	王子
왜	なぜ
왜요?	なぜですか
외국＜外國＞	外国
외국인＜外國人＞	外国人
외우다	［動］ 覚える
외우세요	覚えなさい、覚えてきてください
외할머니＜外—＞	母方の祖母
외할아버지＜外—＞	母方の祖父
왼쪽	左、左側
～요(?)	～です(か)；丁寧
요금＜料金＞	料金
요리＜料理＞	料理
요리사＜料理士＞	料理人、調理士
요리실습＜料理実習＞	調理実習
요새	最近
요즘	最近
용돈［용똔］	お小遣い
우동	うどん
우리	私たち
우리 집	うち、うちの家
우산＜雨傘＞	傘
우승＜優勝＞	優勝
우승하다＜優勝——＞	［動］ 優勝する
우유＜牛乳＞	牛乳、ミルク
우체국＜郵遞局＞	郵便局
운동＜運動＞	運動、スポーツ
운동장＜運動場＞	運動場、グラウンド
웃다	［動］ 笑う
～원	［漢単］ ～ウォン
～월＜月＞	［漢単］ ～月
위	上
(～를)위해서	(～の)ために
위험하다＜危険——＞［위허마다］	［動］危険だ、危ない
유도＜柔道＞	柔道
유명하다＜有名——＞	［形］ 有名だ
유월＜六月＞	6月
유자차＜柚子茶＞	ゆず茶
유진	ユジン(人名)
유키	有紀(人名)
유타	裕太(人名)
유학＜留學＞	留学
유학가다＜留學——＞	［動］ 留学に行く
유행＜流行＞	流行
육＜六＞	六
윷놀이［윤노리］	ユンノリ(日本の双六にあたる)
-으니까	-から、-ので
-으러 가다	［動］ (し)に行く
～으로 가다	［動］ ～のほうに行く
～으로 갈아타다	［動］ ～に乗り換える
-으면	(す)れば
-으면 돼요(?)	(す)ればいいです(か)
-으면 안 되다	(し)てはいけない
-으세요	(し)てください

-으시-	尊敬の意を表す補助語幹	이게	「이것이:これが」の縮約形
-은데	-んだけど	이기다	動 勝つ
-은데요	-んですけど	이날	この日
은미	ウンミ(人名)	~이다	指 ~だ、~である
은행<銀行>[으냉]	銀行	이따가	後で
-을	未来連体形	~이라고 하다	動 ~という
~을	~を	~이라는 ~	~という~
~을 가지고	~で	~이라면	~だったら、~なら
-을 거니까[을꺼니까]	(する)つもりだから、(する)から	이렇게[이러케]	このように、こうやって
-을 거예요[을꺼에요]	(し)ようと思います、(する)つもりです；予定・心づもり	이렇다[이러타]	ㅎ形 このようだ
		이름	名前
		이만 마치다	動 これで終わる
-을게요[을께요]	(し)ますね、(し)ますから	이번<一番>	今回、今回の~
-을까요?	(し)ましょうか	이번에<一番->	今回、このたび
-을 때	(する)時	이사가다<移徙-->	動 引っ越す
-을래요?	(し)ますか	이상<以上>	以上
-을 수 없다[을쑤업따]	(する)ことができない	~이세요(?)	~でいらっしゃいます(か)
-을 수 있다[을쑤-]	(する)ことができる	이야기하다	動 話す
~을 위해	~のために	~이에요(?)	~です(か)
-을 줄 모르다[을쭐-]	ㄹ動 (する)ことができない	이용<利用>	利用
		이쪽	こっち、こちら
-을 줄 알다[을쭐-]	動 (する)ことができる	이틀	二日
~을 타다	動 ~に乗る	이후<以後>	以降
음식<飲食>	食べ物、料理	~인 ~	~である~、~の~
음악<音樂>	音楽	인기<人氣>[인끼]	人気
응	うん	인기 있다<人氣->	存 人気がある
응원 단장<應援團長>	応援団長	~인데요	~ですが、~ですけど
응원해 주다<應援-->[응워내-]	動 応援してあげる	~인분<一人分>	漢単 ~人前
		인사<人事>	あいさつ
~의[에]	~の	인상<印象>	印象
이 ~	この ~	인생<人生>	人生
이<二>	二	인터넷	インターネット
~이	最後に받침のある人名に付く。意味は特になし。	인형<人形>[이녕]	人形
		일	こと、仕事
		일<一>	1
~이	~が、~は(疑問詞を含む疑問文で)	~일<日>	漢単 ~日
		일곱	七つ
~이 되다	動 ~になる	일기<日記>	日記
~이 뭐예요	①~は何ですか ②~って何ですか	일등<一等>[일뜽]	1位
		일본<日本>	日本
~이 아니에요(?)	~ではありません(か)	일본말<日本->	日本語
이거	「이것:これ」の縮約形	일어나다	動 起きる、立ち上がる

일요일<日曜日>　　　日曜日
일일권<一日券>[이릴꿘]　1日券
일찍　　　　　　　早く
일하다[이라다]　　動 働く
일흔[이른]　　　　七十
읽다[익따]　　　　動 読む
잃어버리다[이러버리다] 動 失くす
입구<入口>　　　　入り口
~입니다[임니다]　~です
입다　　　　　　　動 着る
입장<入場>　　　　入場
입장권<入場券>[입짱꿘]　入場券
입학<入學>[이팍]　入学
있는데[인는데]　　あるんだけど
있다　　　　　　　存 ある、いる
잊다　　　　　　　動 忘れる
잊어버리다　　　　動 忘れる、忘れてしまう

ㅈ

-자　　　　　　　(し)よう；반말(ため口)の
　　　　　　　　　語尾
자　　　　　　　　さあ
자다　　　　　　　動 寝る
자르다　　　　　　르動 切る
자막 없이<字幕—>字幕無しで
자매학교<姉妹學校>姉妹校
자신<自信>　　　　自信
자원봉사<自願奉仕> ボランティア
자유 시간<自由時間> 自由時間
자유이용권<自由利用券>[—꿘] フリーパス
　　　　　　　　　チケット
자전거<自轉車>　　自転車
작년<昨年>[장년]　昨年、去年
작다　　　　　　　形 小さい
작품<作品>　　　　作品
잘　　　　　　　　よく、上手に
잘 됐다　　　　　(ちょうど)よかった
잘 되다　　　　　動 うまくいく
잘 지내다　　　　動 元気に過ごす
잘하다[자라다]　　動 上手だ、うまい
잠　　　　　　　　眠り

잠깐　　　　　　　ちょっとの間
잠을 자다　　　　動 寝る
잡다　　　　　　　動 捕る、つかむ
잡지<雜誌>　　　　雑誌
잡채<雜菜>　　　　チャプチェ、春雨炒め
~장<張>　　　　　固単 ~枚
장구　　　　　　　チャンゴ(民族打楽器)
장난감[장난깜]　　おもちゃ
재미없다[—업따]　存 面白くない
재미있게　　　　　おもしろく
재미있는 ~[—인는] おもしろい~
재미있다　　　　　存 おもしろい
저　　　　　　　　私、僕；目上の人の前で
저 ~　　　　　　あの~
저　　　　　　　　あのう；口ごもる時に言う
　　　　　　　　　言葉
저기　　　　　　　あそこ、あそこに
저기요　　　　　　すみません(呼びかけ)
저녁　　　　　　　① 晩、夕方 ② 晩ご飯
저렇다[저러타]　　ㅎ形 あのようだ、ああだ
저쪽　　　　　　　あっち、あちら
전　　　　　　　　「저는:私は、僕は」の縮
　　　　　　　　　約形
전<前>　　　　　　前(時間的な)
전국 대회<全國大會>全国大会
전람회<展覽會>[절라뫼] 展覧会
전원<電源>　　　　電源
전자사전<電子辭典>電子辞書
전쟁<戰爭>　　　　戦争
전철<電鐵>　　　　電車
전통<傳統>　　　　伝統
전통적인 ~<傳統的—> 伝統的な ~
전통 찻집<傳統——> 伝統茶の店
전하다<傳——>[저나다] 動 伝える
전혀<全—>[저녀]　全然(ない)
전화<電話>[저놔]　電話
전화번호<電話番號>[저놔버노] 電話番号
점<点>　　　　　　点
점심<點心>　　　　昼食
점심 시간<點心 時間>　昼休み
점원<店員>　　　　店員
정도<程度>　　　　程度、ほど

정말〈正－〉	本当に
정식〈定食〉	定食
제 ～	私の～、僕の～
제가	私が、僕が、自分で
제 것 [제껏]	私の（もの）、僕の（もの）
J 리그 [제이－]	J リーグ
제일〈第一〉	一番、第一
제주도〈濟州島〉	済州島
제출일〈提出日〉	提出日
조금씩	少しずつ
조깅	ジョギング
조심하다〈操心－－〉[조시마다] 動	気をつける、注意する
조용히	静かに
졸업〈卒業〉	卒業
졸업 후〈卒業後〉[조러푸]	卒業後
졸업식〈卒業式〉	卒業式
좀	ちょっと
좁다	形 狭い
좋다 [조타]	形 良い
좋아지다 [조아지다]	動 よくなる
좋아하다 [조아하다]	動 好きだ
죄송하다〈罪悚－－〉	形 申し訳ない、すまない
주다	動 くれる、やる、あげる
주말〈週末〉	週末
주무시다	動 お休みになる（「자다 :寝る」の尊敬語）
주세요	ください
주소〈住所〉	住所
주스	ジュース
주인 아저씨〈主人－〉	店主
주장〈主將〉	主将、キャプテン
준비〈準備〉	準備
준비하다〈準備－－〉	動 準備する
중〈中〉	中（～の中で）
중국〈中國〉	中国
중국말〈中國－〉[중궁말]	中国語
중요하다〈重要－－〉	形 重要だ
중학교〈中學校〉	中学
즐겁다	ㅂ形 楽しい
－지 마세요	（し）ないでください
－지 못하다	動 （する）ことができない

－지 않다	動 形 （し）ない、（では）ない、（く）ない；用言の否定
지각하다〈遲刻－－〉[지가카다] 動	遅刻する
지금〈只今〉	今
지난달	先月
지난번에〈－－番－〉	前回
지내다	動 過ごす
지다	動 負ける
지도〈地圖〉	地図
지리〈地理〉	地理
－지만	－けれども
지바	千葉
지짐이	チヂミ（料理名）
지키다	動 守る
지하철〈地下鉄〉	地下鉄
지현	チヒョン（人名）
직접〈直接〉	直接、自分で
진짜〈眞－〉	ホント、ほんとに、とっても
질문〈質問〉	質問
짐	荷物
집	家
짜다	形 塩辛い
짜잔!	ジャジャーン！
쭉	まっすぐ、ずっと
～쯤	～頃
찍다	動 ① 撮る ② （タレなどを）付ける

ㅊ

차갑다	ㅂ形 冷たい
차례〈次例〉	順番
참	本当に、とっても
참가하다〈參加－－〉	動 参加する
참다 [참따]	動 我慢する
찾다	動 ① 探す ② （辞書を）引く ③ （口座からお金を）おろす
채팅	チャット
책〈冊〉	本
책상〈冊床〉	机

천〈千〉　　　　千
천천히［천처니］　ゆっくり
첫 〜　　　　　初めての〜、初〜
청바지〈青——〉　ジーパン
청소년〈青少年〉　青少年
청소하다〈清掃——〉［動］掃除する
체육관〈體育館〉　体育館
체육복〈體育服〉　体操服
초〈秒〉　　　　［漢単］秒
초등학교〈初等学校〉小学校
초장〈醋醬〉　　酢醤油
초콜릿　　　　チョコレート
최고〈最高〉　　最高
최근〈最近〉　　最近
추가요금〈追加料金〉追加料金
추리소설〈推理小說〉推理小説
추석〈秋夕〉　　チュソク、お盆
추억〈追憶〉　　思い出
추워지다　　　［動］寒くなる
축구〈蹴球〉　　サッカー
축제〈祝祭〉　　祭り、〜祭
출품〈出品〉　　出品
춥다　　　　　［ㅂ形］寒い
충분하다〈充分——〉［形］［충부나다］充分だ
치다　　　　　［動］①（ギターなどを）弾
　　　　　　　く ②（球技を）する ③
　　　　　　　叩く、（拍手）する
치다　　　　　［動］（ソースなどを）かける
치즈　　　　　チーズ
치킨카레　　　チキンカレー
친구〈親舊〉　　友だち
친구네 집〈親舊——〉友だちの家
칠〈七〉　　　　七

ㅋ

카레　　　　　カレー
카메라　　　　カメラ
커피　　　　　コーヒー
커피숍　　　　コーヒーショップ
컴퓨터　　　　コンピューター
컵라면［컴나면］　カップラーメン

케이크　　　　ケーキ
KTX［케이티엑스］KTX、韓国高速鉄道
케챱　　　　　ケチャップ
켜다　　　　　［動］（明かりなどを）つける
코리아타운　　コリアタウン
코트　　　　　コート
콤비　　　　　コンビ
콧노래［콘노래］　鼻歌
콩트　　　　　コント
크게　　　　　大きく、とても
크다　　　　　［ㅇ形］大きい、（背が）高い
크리스마스　　クリスマス
큰 소리　　　大きい声
키　　　　　　背
키가 작다　　　［形］背が低い
키가 크다　　　［ㅇ形］背が高い

ㅌ

타다　　　　　［動］乗る
태워다 주다　　［動］乗せて行ってくれる
태풍〈颱風〉　　台風
택시　　　　　タクシー
테니스를 치다　［動］テニスをする
토요일〈土曜日〉　土曜日
통역〈通譯〉　　通訳
통역〈通譯〉하다　［動］通訳する
통역사〈通譯士〉　通訳(者)
투수〈投手〉　　投手
특별 활동〈特別活動〉［특뼐활똥］クラブ活
　　　　　　　動、部活
특이하다〈特異——〉［形］変わっている
특히〈特—〉［트키］特に
TV［티브이］　テレビ
TV프로［티브이—］テレビ番組
T셔츠［티—］　Tシャツ
팀　　　　　　チーム

ㅍ

파랗다［파라타］　［ㅎ形］青い
파전　　　　　パジョン（ねぎ焼き）

197

파티세	パティシエ
팔〈八〉	八
팔다	[動] 売る
팥빙수〈－氷水〉	パッピンス(氷小豆、かき氷)
패션	ファッション
～페이지	[漢単] ～ページ
펜	ペン
편리하다〈便利－－〉[펼리－－]	[形] 便利だ
편의점〈便宜店〉[펴니점]	コンビニ
편지〈便紙〉	手紙
평생〈平生〉	一生
평소〈平素〉	普段
평화〈平和〉	平和
포스터	ポスター
표〈票〉	チケット、切符
푸드코트	フードコート
풀다	[動] ほぐす、解く、(包みなどを)開ける
프랑스	フランス
프랑스어〈－－－語〉	フランス語
프로야구선수〈－－野球選手〉	プロ野球選手
피곤하다〈疲困－－〉[피고나다]	[形] 疲れている
피부〈皮膚〉	肌、皮膚
PC방〈－－房〉[피시방]	ネットカフェ
피아노	ピアノ
필요〈必要〉	必要

ㅎ

～하고	～と；羅列
하나	一つ
하다	[動] する
하얗다[하야타]	[ㅎ形] 白い
하지만	でも、しかし
학교〈學校〉	学校
학교 축제〈学校祝祭〉	文化祭、学園祭
학년〈學年〉[항년]	年生、学年
학생〈學生〉	児童、生徒、学生
학생회장〈學生會長〉	生徒会長
학원〈學院〉	塾

한 ～	1～、1つの～
한 ～	約～
한 게임	1試合
한국〈韓國〉	韓国
한국말〈韓国－〉[한궁말]	韓国語
한국 분〈韓国－〉	韓国の方
한국 음식〈韓國飲食〉	韓国料理
한국어〈韓國語〉	韓国語
한글	ハングル
한글검정시험〈－－檢定試驗〉	ハングル検定試験
한번〈一番〉	一度
한복〈韓服〉	チマチョゴリ
한일전〈韓日戰〉	(スポーツの)日韓戦
한정식〈韓定食〉	韓定食(コースの韓国料理)
～한테	～に；人に付けて
할머니	おばあさん、祖母
할머니 집	おばあちゃんの家
할아버지	おじいさん、祖父
합격〈合格〉	合格
항상〈恒常〉	いつも
해 주세요	してください
해 주시겠어요?	していただけますか
핸드폰	携帯電話
핸드폰 줄[－쭐]	携帯ストラップ
햄버거	ハンバーガー
행복하다〈幸福－－〉[행보카다]	[形] 幸せだ
헐리우드 영화〈－映畵〉	ハリウッド映画
헤어스타일	ヘアスタイル
형〈兄〉	兄(弟から見て)
혹시〈或是〉	ひょっとして、もしや
혼나다	[動] 怒られる、叱られる
혼자서	一人で
홈스테이	ホームステイ
홋카이도	北海道
홍차〈紅茶〉	紅茶
화가 나다	[動] 腹が立つ
화장실〈化粧室〉	トイレ
환송회〈歡送會〉	送別会
활약〈活躍〉	活躍
회〈膾〉	刺身

효도〈孝道〉	親孝行
～ 후〈後〉	～後 (時間的な後)
후추	コショウ
휘파람	口笛
휴교〈休校〉	休校
흔들다	動 振る
힘든 일	つらいこと
힘들다	形 大変だ

あ

愛	사랑
あいさつ	인사〈人事〉
愛する	사랑하다 [動]
間	동안(行事や出来事の期間)、사이(時間的・空間的なAとBの間)
会う	만나다 [動]
合う	맞다 [動]
青い	파랗다 [ㅎ形] [파라타]
赤	빨간색〈――色〉
赤い	빨갛다 [ㅎ形] [빨가타]
アクセサリ	악세서리
明けましておめでとうございます	새해 복 많이 받으세요[―봉마니―]
開ける	① 열다 [動] (ドアや蓋を) ② 풀다 [動] (包んであるもの等を)
あげる	주다 [動]
(手を)上げる	(손을)들다 [動]
朝	아침
味がうすい	싱겁다 [ㅂ形]
朝ご飯	아침밥, 아침
明日	내일〈來日〉
あすか(地名)	아스카
あそこ、あそこに	저기
遊ぶ	놀다 [動]
暖かい	따뜻하다 [形] [따뜨타다]
頭	머리
あっ	앗, 어
暑い	덥다 [ㅂ形]
熱い	뜨겁다 [ㅂ形]
あっち、あちら	저쪽
合っている	맞다 [動]
集まる	모이다 [動]
集める	모으다 [으動]
あと	뒤, 후〈後〉
あとで	나중에(事後に)、이따가 (少し経ってから)
後について言う	따라 하다 [動]

兄	형〈兄〉(弟から見て)、오빠 (妹から見て)
姉	누나(弟から見て)、언니 (妹から見て)
あの ～	저 ～
あのう	저
あのようだ	저렇다 [ㅎ変] [저러타]
脂っこい	느끼하다 [形]
甘い	달다 [形]
甘いもの	단 것
甘ったるい	달콤하다 [形] [달코마다]
あまり(…ない)	별로〈別―〉
雨	비
アメリカ	미국〈美國〉
あら	어머
ありがたい	고맙다 [ㅂ形]
ありがとうございます	감사합니다〈感謝―〉 [―함니다]
ある	있다 [存]
歩く	걷다 [ㄷ動]
アルバイト	아르바이트
あるんだけど	있는데[인는데]
案内	안내〈案內〉
案内員	안내원〈案內員〉
Eメール	메일
良い	좋다 [形] [조타]
いいえ	아뇨
家	집
イェジン(人名)	예진
行く	가다 [動]
いくら	얼마
以降	이후〈以後〉
以上	이상〈以上〉
以前	예전, 옛날[옌날]
忙しい	바쁘다 [으形]
痛い	아프다 [으形]
1	일〈一〉, 하나/한 ～
1日券	일일권〈一日券〉[이릴꿘]
1位	일등〈一等〉[일뜽]
1試合	한 게임
一度	한번〈―番〉
一番	제일〈第一〉

いつ	언제
一生	평생<平生>
一生懸命	열심히<熱心ー>[열씨미]
一緒に	같이 [가치]
五つ	다섯
行ってくる	갔다 오다 動, 다녀오다 動
いつも	항상<恒常>
田舎	시골
犬	개, 강아지
今	지금<只今>
妹	동생<同生>, 여동생<女同生>
イヤリング	귀걸이
いらっしゃいませ	어서 오세요
いらっしゃる	계시다 存
入り口	입구<入口>
入れる	넣다 動 [너타]
色々	여러 가지
印象	인상<印象>
インターネット	인터넷
上	위
～ウォン	～원 漢単
受け取る	받다 動
(試験を)受ける	(시험을) 보다 動
うそ	거짓말[거진말]
嘘をつく	거짓말을 하다[거진마를 하다] 動
歌	노래
歌う	부르다 ㄹ動, 하다 動
うち、うちの家	우리 집
打つ	치다 動
美しい	아름답다 ㅂ形
うどん	우동
うまい	맛있다 存 (おいしい), 잘하다 動 [자라다](上手だ)
うまくいく	잘 되다 動
海	바다
海辺	바닷가
産む	낳다 動 [나타]
うらやましい	부럽다 ㅂ変
売る	팔다 動
うるさい	시끄럽다 ㅂ形
うれしい	기쁘다 으形

(会えて)うれしい	반갑다 ㅂ形
噂	소문<所聞>
うん	응, 어
運動	운동<運動>
運動場	운동장<運動場>
ウンミ(人名)	은미
絵	그림
映画	영화<映畵>
英会話教室	영어 학원<英語 學院>
英語	영어<英語>
ええ	네, 예
描く	그리다 動
駅	역<驛>
Nソウルタワー	N서울타워 [엔—]
エプロン	앞치마
選ぶ	고르다 ㄹ動
Lサイズ	라지 사이즈
～円	～엔 漢単
演奏	연주<演奏>
遠足	소풍<逍風>
おいしい～	맛있는 ～[마신는]
おいしい	맛있다 存
応援する	응원하다 動 <應援——> [응워나다]
応援団長	응원 단장<應援團長>
王子	왕자<王子>
多い	많다 形 [만타]
大きい	크다 으形
大きい声	큰 소리
大きく	크게
大阪	오사카
お母さん	어머니
お会計	계산<計算>
おかき	쌀과자<—菓子>
お金	돈
沖縄	오키나와
お客様	손님
起きる	① 일어나다 動 (寝ていた人が) ② 생기다 動 (出来事が)
置く	놓다 動 [노타]
送る	보내다 動

起こす	깨우다 [動]（目覚めさせる）
お小遣い	용돈[용똔]
怒られる	혼나다 [動]
教える	가르치다 [動], 알리다 [動]
おじいさん	할아버지, 외할아버지〈外—〉（母方の祖父）
おじさん	아저씨
押す	누르다 [르動]
遅い	늦다 [形]
遅く	늦게
遅れる	늦다 [動]
落ち込む	마음이 안 좋다 [形] [조타]
音	소리
弟	동생〈同生〉, 남동생〈男同生〉
男友達	남자 친구〈男子親舊〉
大人	어른
お腹	배
お腹が空いている	배가 고프다 [으形]
お腹がすく	배고프다 [으形]
お願いする	부탁하다 [動]〈付託――〉[부타카다]
おば	고모〈姑母〉（父方のおば）, 이모〈姨母〉（母方のおば）
おばあさん	할머니, 외할머니〈外—〉（母方の祖母）
おばあちゃんの家	할머니 집
おばさん	아주머니, 아줌마
おはよう！	안녕!〈安寧〉
覚える	외우다 [動]
お盆	추석〈秋夕〉
お前	너
お土産	선물〈膳物〉
重い	무겁다 [ㅂ形]
思い出す	기억나다 [動]〈記憶――〉[기엉나다], 생각나다 [動] [생강나다]
思い出	추억〈追憶〉
おもしろい〜	재미있는 〜[재미인는]
おもしろい	재미있다 [存]
おもしろく	재미있게
おもしろくない	재미없다 [存] [재미업따]

おもちゃ	장난감[장난깜]
思ったより	생각보다
親孝行	효도〈孝道〉
お休みになる（「寝る」の尊敬語）	주무시다 [動]
降りる	내리다 [動]
終わり	끝
音楽	음악〈音樂〉
女友だち	여자 친구〈女子 親舊〉

か

〜が	〜가/이
外国	외국〈外國〉
外国人	외국인〈外國人〉
買い物	쇼핑
買う	사다 [動]
帰ってくる	돌아오다 [動]
蛙	개구리
替える	바꾸다 [動]
顔	얼굴
（靴の）かかと	굽
かかる	걸리다 [動]
鍵	열쇠
かき氷	팥빙수〈－氷水〉
書く	쓰다 [으動]
学園祭	학교 축제〈学校祝祭〉
学生	학생〈學生〉
学年	학년〈學年〉[항년]
〜ヶ月	〜개월 [漢単]〈個月〉[개월]
かける	치다 [動]（ソースなどを）
過去連体形	－ㄴ/은; 動詞語幹に付く
傘	우산〈雨傘〉
歌詞	가사〈歌詞〉
菓子	과자〈菓子〉
賢い	똑똑하다 [形] [똑똑카다]
歌手	가수〈歌手〉
貸す	빌리다 [動]
風邪	감기
（お金を）稼ぐ	（돈을）벌다 [動]
家族	가족〈家族〉, 식구〈食口〉
〜の方(かた)（「人」の尊敬語）	〜 분
課題	과제〈課題〉

勝つ	이기다 動		感謝する	감사하다 動 〈感謝――〉
～月	～월 漢単 〈月〉		元旦	설날[설랄]
カッコいい	멋있다 存		簡単だ	쉽다 ㅂ形
学校	학교〈學校〉		韓定食	한정식〈韓定食〉
カッコよく	멋지게		感動する	감동을 받다 動 〈感動――〉
買って来てくれる	사다 주다 動		がんばる	열심히 하다 動 〈熱心――〉
カップラーメン	컵라면[컴나면]			[열씨미하다]
活躍	활약〈活躍〉		聞いてください	들어 주세요
悲しい	슬프다 으形		キーホルダー	열쇠고리
必ず	꼭		黄色	노란색〈――色〉
(お)金	돈		黄色い	노랗다 ㅎ形 [노라타]
カバン	가방		機会	기회〈機會〉
(帽子を)かぶる	(모자를) 쓰다 으動		着替える	갈아입다 動
構わない	괜찮다 形 [괜찬타]		期間	기간〈期間〉
我慢する	참다 動 [참따]		聞く	듣다 ㄷ動 (耳で), 묻다 ㄷ動
カメラ	카메라			(尋ねる)
科目	과목〈科目〉		危険だ	위험하다 形 〈危険――〉
通う	다니다 動			[위어마다]
～から	～부터(時), ～에서(場所)		ぎこちない	서투르다 르形
(する)から	-ㄹ 을 거니까, -니까/으		ギター	기타
	니까		期待する	기대하다 動 〈期待――〉
辛い	맵다 ㅂ形		きっかけ	계기〈契機〉
カラオケ	노래방〈――房〉		切符	표〈票〉
体	몸		気に入る	마음에 들다 動
体にいい	몸에 좋다 形 [조타]		記念写真	기념사진〈記念寫眞〉
体の具合が悪い	몸이 아프다 으形		昨日	어제
借りる	빌리다 動		気分	기분〈氣分〉
軽い	가볍다 ㅂ形		キムチ	김치
カルビスープ	갈비탕		キムチチゲ	김치찌개
カレー	카레		着物	기모노
かわいい	귀엽다 ㅂ形 , 예쁘다 으形		ギャグ	개그
変わっている	특이하다 形 〈特異――〉		九	구〈九〉, 아홉
考える	생각하다 動 [생가카다]		休校	휴교〈休校〉
観客	관객〈觀客〉		休日	노는 날, 휴일〈休日〉
関係	관계〈關係〉		牛乳	우유〈牛乳〉
観光客	관광객〈觀光客〉		九十	구십〈九十〉, 아흔
韓国	한국〈韓國〉		今日	오늘
韓国語	한국말〈韓國―〉[한궁말],		強国	강국〈強國〉
	한국어〈韓國語〉		餃子	만두〈饅頭〉
韓国の方	한국 분〈韓国―〉		教室	교실〈教室〉
韓国料理	한국 음식〈韓國飲食〉		今日中に	오늘 안으로
看護師	간호사〈看護師〉[가노사]		京都	교토

203

日本語	韓国朝鮮語	日本語	韓国朝鮮語
去年	작년<昨年>[장년]	ゲーム	게임
嫌いだ	싫다[실타] 形	ゲーム機	게임기<ーー機>
キリン	기린<麒麟>	景色	경치<景致>
切る	끊다[끈타] 動 (電話を), 끄다 으動 (電源を), 자르다 ㄹ動 (髪を)	ケチャップ	케찹
		結婚	결혼<結婚>[겨론]
着る	입다 動	結婚する	결혼하다 動 <結婚ーー>[겨로나다]
きれいだ	곱다 ㅂ形, 깨끗하다 形 [깨끄타다], 예쁘다 으形	欠席する	결석하다 動 <欠席ーー>[결써카다]
きれいに	예쁘게, 깨끗하게	-けれども	-지만
気を使う	신경을 쓰다<神經ーー> 으動	けんかする	싸우다 動
気をつける	조심하다<操心ーー>[조시마다] 動	元気？	안녕?<安寧>
		元気に過ごす	잘 지내다 動
銀行	은행<銀行>[으냉]	現在連体形語尾	① -는 (動詞・存在詞語幹に付いて) ② -ㄴ/은(形容詞・指定詞語幹に付いて)
近所	근처<近處>		
金曜日	금요일<金曜日>		
空港	공항<空港>	見物する	구경하다 動 <求景ーー>
臭い	냄새가 나다 動	子	아이, 애
ください	주세요	～個	～개 固単<個>
果物	과일	五	오<五>, 다섯
口笛	휘파람	後	뒤(時間的・空間的な), 후<後>(時間的な)
靴	신발(履き物全般), 구두 (革靴など)		
		五味子茶	오미자차<五味子茶>
～組	～반<班>	子犬	강아지
国	나라	恋人	애인<愛人>
区分	구분<區分>	公園	공원<公園>
暮らす	살다 動	公演	공연<公演>
クラス	반<班>	合格	합격<合格>
クラブ活動	특별 활동<特別活動>[특뼐활똥]	高校	고등학교<高等學校>
		高校生	고등학생<高等學生>
クリスマス	크리스마스	高速鉄道	고속철도<高速鐵道>, KTX[케이티엑스]
来る	오다 動		
くれる	주다 動	紅茶	홍차<紅茶>
黒い	까맣다 ㅎ形 [까마타]	校長先生	교장 선생님<校長先生ー>
黒帯を取る	검은 띠를 따다 動	交通カード	교통카드<交通ーー>
経験	경험<經驗>	高等学校	고등학교<高等學校>
計算	계산<計算>	香ばしい	고소하다 形
携帯ストラップ	핸드폰 줄[ー쭐]	公務員	공무원<公務員>
携帯電話	핸드폰	こう、こうやって	이렇게[이러케]
KTX(韓国高速鉄道)	KTX[케이티엑스]	声	소리, 목소리
芸能人	연예인<演藝人>	コート	코트
ケーキ	케이크	コーヒー	커피

コーヒーショップ	커피숍
ゴーヤ	고야
国際電話	국제전화〈國際電話〉
午後	오후〈午後〉
ここ、ここに	여기
ここで	여기서
九つ	아홉
心	마음
五十	오십〈五十〉, 쉰
コショウ	후추
故障する	고장나다 動〈故障――〉
午前	오전〈午前〉
こちら、こっち	이쪽
小遣い	용돈[용똔]
こと	것, 일
～ごとに	～마다
今年	올해[오래]
異なる	다르다 르形
(する)ことになる	-게 되다 動
ことば	말
子ども	어린이, 아이, 애
この～	이 ～
このたび	이번에〈―番―〉
この日	이날
このようだ	이렇다 ㅎ形 [이러타]
このように	이렇게[이러케]
ご飯	밥
ゴミ	쓰레기
米菓子	쌀과자〈―菓子〉
コメディアン	개그맨
込める	담다 動 [담따]
コリアタウン	코리아타운
これ	이것, 이거
これが	이것이, 이게
これから	앞으로
これで終わる	이만 마치다 動
～頃	～쯤
怖い	무섭다 ㅂ形
今回、今度	이번〈―番〉, 이번에〈―番―〉
今回の～、今度の～	이번 ～〈―番〉
コント	콩트
コンビ	콤비

コンビニ	편의점〈便宜店〉[펴니점]
コンピューター	컴퓨터

さ

さあ	자
～歳	～ 살 固単
最近	요새, 요즘, 최근〈最近〉
最後	끝
最高	최고〈最高〉
済州島	제주도〈濟州島〉
～さえ	～만
探す	찾다 動
先に	먼저
昨年	작년〈昨年〉
作品	작품〈作品〉
さしあげる	드리다 動
刺身	회〈膾〉
サッカー	축구〈蹴球〉
さっき	아까
雑誌	잡지〈雜誌〉
さっぱりしている	시원하다 形 [시워나다]
砂糖	설탕〈雪糖〉
寒い	춥다 ㅂ形
サムギョプサル	삼겹살〈三――〉
寒くなる	추워지다 動
騒ぐ	떠들다 動
三	삼〈三〉, 셋/세 ～
～さん	～ 씨〈氏〉
参加する	참가하다 動〈參加――〉
三十	삼십〈三十〉, 서른
三大祭	삼대축제〈三大祝祭〉
サンチュ	상추
サンドイッチ	샌드위치
三人で	셋이서
～時	～시 固数〈時〉
(する)し；並列	-고
幸せだ	행복하다 形〈幸福――〉[행보카다]
CD	시디
ジーパン	청바지〈靑――〉
Jリーグ	J 리그[제이―]

ジェットコースター	롤러코스터
塩	소금
塩辛い	짜다 形
叱られる	혼나다 動
時間	시간〈時間〉
試験	시험〈試驗〉
仕事	일
辞書	사전〈辭典〉
辞書を引く	사전을 찾다 動
自信	자신〈自信〉
静かに	조용히
施設	시설〈施設〉
従う	따르다 ㄹ動
七	칠〈七〉, 일곱
実は	실은〈實—〉
質問	질문〈質問〉
（し）て	-고
自転車	자전거〈自轉車〉
自分で	제가, 직접〈直接〉
姉妹校	자매학교〈姉妹學校〉
字幕無しで	자막 없이〈字幕——〉
閉める	닫다 動
じゃあ	그럼
ジャジャーン！	짜잔!
写真	사진〈寫眞〉
～じゃないですか	～ 아니에요?
十	십〈十〉, 열
修学能力試験	수능시험〈修能試驗〉
修学旅行	수학여행〈修學旅行〉[수앙녀앵]
10月	시월〈十月〉
自由時間	자유 시간〈自由時間〉
住所	주소〈住所〉
ジュース	주스
柔道	유도〈柔道〉
充分だ	충분하다 形 〈充分——〉
週末	주말〈週末〉
十万	십만〈十万〉[심만]
重要だ	중요하다 形 〈重要——〉
授業	수업〈授業〉
塾	학원〈學院〉
宿題	숙제〈宿題〉
宿題する	숙제하다 動 〈宿題——〉
主将	주장〈主將〉
出品	출품〈出品〉
順番	차례〈次例〉
準備	준비〈準備〉
準備する	준비하다 動 〈準備——〉
紹介	소개〈紹介〉
生姜茶	생강차〈生姜茶〉
小学校	초등학교〈初等学校〉
生じる	생기다 動
上手だ	잘하다 動 [자라다]
上手に	잘
醤油	간장〈—醬〉
将来	앞날[암날], 앞으로
ジョギング	조깅
食事	식사〈食事〉
食堂	식당〈食堂〉
女子	여자〈女子〉
食券	식권〈食券〉
ショッピング	쇼핑
書店	서점〈書店〉
知らない	모르다 ㄹ動
知る	알다 動
白い	하얗다 ㅎ形 [하야타]
新学期	새 학기〈—學期〉
シンガポール	싱가포르
新幹線	신칸센
人生	인생〈人生〉
申請する	신청하다 動 〈申請——〉
心配	걱정
新聞記事	신문 기사〈新聞記事〉
心理	심리〈心理〉[심니]
酢	식초〈食醋〉
水泳	수영〈水泳〉
水泳部	수영부〈水泳部〉
推理小説	추리소설〈推理小說〉
数学	수학〈數學〉
スーパーマーケット	마트, 슈퍼마켓
スカイツリー	스카이 트리
スキー	스키
好きだ	좋아하다 動 [조아하다]
すぐ	금방〈今方〉, 바로

日本語	韓国朝鮮語		日本語	韓国朝鮮語
すごい	대단하다 形 [대다나다]		前回	지난번<――番―>
すごく	굉장히		選挙	선거<選擧>
少しずつ	조금씩		先月	지난달
過ごす	지내다 動		全国大会	전국 대회<全國大會>
酢醤油	초장<醋醬>		選手	선수<選手>
酸っぱい	시다 形		先生	선생님<先生―>
捨てる	버리다 動		全然(－ない)	전혀<全―>[저녀]
スピーチ大会	말하기 대회<―大会>[마라기―], 스피치 대회<―大會>		戦争	전쟁<戰爭>
			センター試験	센터시험<――試驗>
			先輩	선배<先輩>
すべて	다		全部	다, 모두
すべての～	모든 ~		-そう！	-겠다!
スポーツ	스포츠		そうです(か)	그래요(?)
ズボン	바지		掃除する	청소하다 動<淸掃――>
すまない	미안하다 形<未安――>[미아나다], 죄송하다 形<罪辣――>		そうでしょう？	그렇죠?[그러죠]
			送別会	환송회<歡送會>
			ソウル駅	서울역<――駅>[서울력]
すみません	① 미안해요(謝罪) ② 저기요(漠然とした呼びかけ), 여기요(食堂などで注文のため店員を呼ぶことば)		ソウルタワー	서울타워
			サンファ茶	쌍화차<雙和茶>
			ソース	소스
			そこ、そこに	거기
住む	살다 動		そこで	거기서
する	① 하다 動 ② 치다 動(球技を)		そして	그리고
			卒業	졸업<卒業>
(する)し	-고		卒業後	졸업 후<卒業後>[조러푸]
座る	앉다 動 [안따]		卒業式	졸업식<卒業式>
スンドゥブチゲ	순두부찌개<純豆腐――>		そっち、そちら	그쪽
背	키		外	밖
清潔だ	깨끗하다 形 [깨끄타다]		ソナ<善雅>(人名)	선아
青少年	청소년<靑少年>		ソナの学校	선아네 학교<―學校>[서나네―]
～(の)せいで	~ 때문에			
生徒	학생<學生>		その～	그 ~
生徒会長	학생회장<學生會長>		その間、その後	그동안
セール	세일		そのとおりだ	맞다 形
世界遺産	세계유산<世界遺産>		その時	그때
背が高い	키가 크다 ㅇ形		そのようだ	그렇다 ㅎ形 [그러타]
背が低い	키가 작다 形		そのように	그렇게[그러케]
ぜひ	꼭		それだけ	그것만[그건만]
狭い	좁다 形		それで	그래서
セリフ	대사<台詞>		尊敬を表す補助語幹	-시/으시-
ゼロ	공<空>, 영<零>		存在詞現在連体形語尾	-는
千	천<千>		そんなに	그렇게[그러케]

た

日本語	韓国朝鮮語
-だ！; 感嘆	-다!
（し）たい	-고 싶다 [形]
体育館	체육관〈體育館〉
第一	제일〈第一〉
ダイエット	다이어트
大会	대회〈大會〉
大学生	대학생〈大學生〉
大学入試	대학 입시〈大學入試〉
大丈夫だ	괜찮다 [形] [괜찬타]
体操服	체육복〈體育服〉
代表	대표〈代表〉
台風	태풍〈颱風〉
大変だ	힘들다 [形]
たい焼き	붕어빵
高い	높다 [形]
（値段が）高い	비싸다 [形]
だから	그래서
たくさん	많이 [마니]
タクシー	택시
～だけ	～만
凧（たこ）	연〈鳶〉
（し）たことがない	-아/어/여 본 적（이）없다 [存]
（し）たことがある	-아/어/여 본 적（이）있다 [存]
助ける	돕다 [ㅂ動]
ただ	그냥
叩く	치다 [動]
～たち	～들
～だったら	～라면/이라면
建物	건물〈建物〉
楽しい	즐겁다 [ㅂ形]
楽しく	신나게
楽しみにする	기대하다 [動]〈期待ーー〉
食べないで	먹지 말고
食べ物	음식〈飲食〉
食べる	먹다 [動]
卵	달걀, 계란〈鷄卵〉
～のため	～ 때문에
ため口（반말）の語尾	-아/어/여
だめだ	안 되다 [動]
～のために	～을/를 위해
貯める	（돈을）모으다 [으動]
-たらうれしい	-았/었/였으면 좋겠다
タレ	양념장〈ーー醬〉, 소스
誰も	아무도
ダンサー	댄서
男子	남자〈男子〉
誕生日	생일〈生日〉
ダンス	댄스
担当者	담당자〈擔當者〉
担任の先生	담임 선생님〈擔任先生ー〉
小さい	작다 [形]
チーズ	치즈
チーズ！（写真を撮るときのかけ声）	김치
チーム	팀
近い	가깝다 [ㅂ形]
違う	아니다 [指]
近く	근처〈近處〉
地下鉄	지하철〈地下鐵〉
チキンカレー	치킨 카레
チケット	표〈票〉
遅刻する	지각하다 [動]〈遲刻ーー〉 [지가카다]
チシャ	상추
地図	지도〈地圖〉
チヂミ	지짐이
チヒョン（人名）	지현
チマチョゴリ	한복〈韓服〉
チャット	채팅
チャプチェ	잡채〈雜菜〉
チャンゴ	장구
注意する	조심하다 [動]〈操心ーー〉 [조시마다]
中学校	중학교〈中學校〉
中国	중국〈中國〉
中国語	중국말〈中國ー〉 [중궁말]
昼食	점심〈點心〉
注文する	시키다 [動], 주문하다 [動]〈注文ーー〉
チュソク	추석〈秋夕〉
直接	직접〈直接〉
チョコレート	초콜릿
ちょっと	좀

ちょっとの間	잠깐
地理	지리<地理>
追加料金	추가요금<追加料金>
ついて行く	따라가다 [動]
通訳	통역<通譯>
通訳する	통역하다 [動]<通譯ーー>
通訳者	통역사<通譯士>
使う	쓰다 [으動]
疲れている	피곤하다 [形]<疲困ーー> [피고나다]
月	달
次	다음
付き合う	사귀다 [動]
机	책상<冊床>
作る	만들다 [動]
(キムチを)漬ける	담그다 [으動]
(タレなどに)付ける	찍다 [動]
(明かりなどを)つける	켜다 [動]
伝える	전하다 [動]<전ーー>[저나다]
包む	싸다 [動]
～って何ですか	～가/이 뭐예요?
爪	손톱(手の爪), 발톱(足の爪)
冷たい	차갑다 [ㅂ形]
(する)つもりだから	-ㄹ/을 거니까 [ー꺼ー]
(する)つもりです	-ㄹ/을 거예요[ー꺼에ー]
積もる	쌓이다 [動] [싸이다]
つらいこと	힘든 일[ー닐]
連れて行ってくれる	데려다 주다 [動]
手	손
(し)て	-고(並列), -아/어/여서(理由・先行動作)
～で	～로/으로(手段・方法・材料), ～에서(場所), ～에(値段), ～를/을 가지고(道具)
～である	～이다
～である ～	～인 ～
Tシャツ	티셔츠
提出日	제출일<提出日>
定食	정식<定食>
(し)ていただけますか	-아/어/여 주시겠어요?
程度	정도<程度>
DVD	DVD[디브이디]
～でいらっしゃいますか	～세요/이세요?
-ている;進行	-고 있다 [存]
手紙	편지<便紙>
できない	못 하다 [動], 할 수 없다 [存]
(する)ことができない	① -ㄹ/을 수 없다 [存](不可能) ② -ㄹ/을 줄 모르다 [르動](技術がない)
(する)ことができる	① -ㄹ/을 수 있다 [存](可能) ② -ㄹ/을 줄 알다 [動](技術がある)
(し)てください	① -아/어/여 주세요(依頼) ② -세요/으세요(指示)
デザイナー	디자이너
～です	①～예요/이에요, ～입니다(指定詞文) ②～요/이요(丁寧助詞)
-です	-아/어/여요, -ㅂ니다/습니다(用言の丁寧語尾)
～ですか	① ～예요/이에요?, ～입니까?(指定詞文) ② ～요/이요?(丁寧助詞)
-ですか	-아/어/여요?, -ㅂ니까/습니까?(用言の丁寧疑問語尾)
～ですけど	～인데요
-ですね	-네요
手帳	수첩<手帖>
手伝ってくれる	도와주다 [動]
出てくる	나오다 [動]
テニスをする	테니스를 치다 [動]
では	그럼
～ではありません	～(가/이) 아니에요
～ではない	～(가/이) 아니다 [指]
(し)てはいけない	-면/으면 안 되다 [動]
(し)たことがある	-아/어/여 본 적(이) 있다 [存]
(し)たことがない	-아/어/여 본 적(이) 없다 [存]
(し)てみる	-아/어/여 보다 [動]
(し)てもいい	-아도/어도/여도 되다 [動]
でも	하지만, 그런데
出る	나가다 [動], 나오다 [動]

日本語	韓国朝鮮語
テレビ	TV[티브이]
テレビ番組	TV프로[티비—]
点	점＜点＞
店員	점원＜店員＞
電源	전원＜電源＞
電源を切る	전원을 끄다 [으動]
電子辞書	전자사전＜電子辞典＞
電車	전철＜電鐵＞
店主	주인 아저씨＜主人—＞
伝統	전통＜傳統＞
伝統茶の店	전통 찻집＜傳統—＞
伝統的な〜	전통적인 ～＜傳統的—＞
展覧会	전람회＜展覽會＞[절라뙤]
電話	전화＜電話＞[저놔]
電話番号	전화번호＜電話番號＞[저놔버노]
〜と	① ～하고, ～와/과, ～랑/이랑（羅列） ② ～라고/이라고（引用）
〜という	～라고/이라고 하다 [動]
〜という〜	～라는/이라는 ～
トイレ	화장실＜化粧室＞
唐辛子	고추
唐辛子みそ	고추장＜——醬＞
東京	도쿄
〜同士	～끼리
動詞現在連体形語尾	-는
投手	투수＜投手＞
東大門市場	동대문시장＜東大門市場＞
到着	도착＜到着＞
どうでしたか	어땠어요?
どうですか	어때요?
どうやって	어떻게[어떠케]
同僚	동료＜同僚＞[동뇨]
とお	열
遠い	멀다 [形]
〜通りに	～ 대로
(〜の)時	～ 때
(する)時	-ㄹ/을 때
(問題を)解く	풀다 [動]
特に	특히＜特—＞[트키]
どこ、どこに	어디
どこで	어디서
所	곳
ところで	그런데
図書館	도서관＜圖書館＞
突然	갑자기
とっても	진짜＜眞—＞, 참
トッポッキ	떡볶이
とても	너무나, 무척, 아주
隣	옆
隣の家	옆 집
どのようだ	어떻다 [ㅎ変] [어떠타]
友だち	친구＜親舊＞
友だちの家	친구네 집＜親舊——＞
土曜日	토요일＜土曜日＞
ドライヤー	드라이어
ドラマ	드라마
撮る	찍다 [動]
捕る	잡다 [動]
トンデムン市場	동대문시장＜東大門市場＞
どんな〜	무슨 ～, 어떤 ～

な

日本語	韓国朝鮮語
ない	없다 [存] [업따]
(く)ない, (し)ない	안 -, -지 않다 [動][形]
(〜では)ない	～(가/이) 아니다 [指]
(し)ないでください	-지 마세요
中	안
(〜の)中で	～ 중에서＜中——＞
長い	길다 [形]
長生きする	오래 살다 [動]
長いもの	긴 거
長くいつまでも	오래오래
長崎	나가사키
仲良く	사이좋게[사이조케]
失くす	잃어버리다 [動] [이러버리다]
(し)なければならない	-아야/어야/여야 되다 [動], -아야/어야/여야 하다 [動]
名古屋	나고야
(し)なさい	-세요/으세요

なぜ	왜	〜に乗り換える	〜로/으로 갈아타다 動
なぜですか	왜요?	〜に乗る	〜를/을 타다 動
夏	여름	日本	일본〈日本〉
なつめ茶	대추차〈ーー茶〉	日本語	일본말〈日本ー〉, 일본어〈日本語〉
夏休み	여름 방학[ーー빵학]		
七	칠〈七〉, 일곱	荷物	짐
七十	칠십〈七十〉, 일흔[이른]	入学	입학〈入學〉[이팍]
七つ	일곱	入場	입장〈入場〉
何	무엇, 뭐	入場券	입장권〈入場券〉[입짱꿘]
鍋	냄비	入浴する	목욕하다 動〈沐浴ーー〉[모교카다]
名前	이름		
生クリーム	생크림〈生ーー〉	煮る	끓이다 動 [끄리다]
生卵	날계란〈ー鶏卵〉	〜人	〜 명 固単〈名〉
悩む	고민하다 動〈苦悶ーー〉[고미나다]	人気	인기〈人氣〉[인끼]
		人気のある	인기 있다 存〈人氣ーー〉
〜なら	〜라면/이라면, 〜면/이면	人形	인형〈人形〉[이녕]
習う	배우다 動	〜人前	〜인분 漢単〈ー人分〉
奈良県	나라현〈ーー縣〉	脱ぐ	벗다 動
何〜（数を尋ねる）몇 〜		塗る	바르다 르動
何時	몇 시〈ー時〉	姉	언니 (妹から見て), 누나 (弟から見て)
なんの〜	무슨 〜		
何名様	몇 분	ねぎ焼き	파전
何も	아무것도	猫	고양이
二	이〈二〉, 둘/두 〜	値段	값[갑]
〜に	①〜에(時・場所・方向・対象などに) ②〜에게, 〜한테(人に) ③〜께(目上の人に)	ネットカフェ	PC방〈ーー房〉
		寝坊する	늦잠을 자다 動
		眠り	잠
		寝る	자다 動, 잠을 자다 動
似合う	어울리다 動	〜年	〜년 漢単〈年〉
〜にある	〜에 있다 存	〜年生	〜학년 漢単 [항년]〈學年〉
兄	오빠 (妹から見て), 형(弟から見て)	〜の	〜의, 〜인
		ノート	노트
（し）に行く	-러/으러 가다 動	残る	남다 動 [남따]
苦い	쓰다 으形	乗せて行ってくれる	태워다 주다 動
肉	고기	のせる	놓다 動 [노타]
二十	이십〈二十〉, 스물/스무 〜	-のだが；前置き	-는데
二十人	스무 명	-ので	-니까/으니까
〜日	〜일〈日〉	〜のままに	〜 대로
日曜日	일요일〈日曜日〉	飲む	마시다 動
（スポーツの）日韓戦	한일전〈韓日戰〉	〜のように	〜와 같이
日記	일기〈日記〉	海苔	김
〜になる	〜가/이 되다 動	（〜に）乗り遅れる	(〜를) 놓치다 動

日本語	韓国朝鮮語	日本語	韓国朝鮮語
乗り換える	갈아타다 動	花火	불꽃놀이[불꼰노리]
のり巻	김밥[김 빱]	速い	빠르다 르形
乗る	타다 動	早く	빨리(速度), 일찍(時刻)
		腹が立つ	화가 나다 動
は		満腹だ	부르다 르形
～は	～는/은, ～가/이(疑問詞を含む疑問文で)	ハリウッド映画	헐리우드 영화＜―映畵＞
はい	네	春雨炒め	잡채＜雜菜＞
はい、これ(物を手渡すときのことば)	여기, 여기 있어요	春休み	봄 방학＜－放學＞[봄 빵학]
バイキング(料理)	뷔페	半	반＜半＞
バイバイ！	안녕!＜安寧＞	晩	저녁, 밤
俳優	배우＜俳優＞	～番	～ 번 固単＜番＞
入る	들어가다 動	パン	빵
履物	신발	ハンカチ	손수건＜－手巾＞
(靴などを)履く	신다 動 [신 따]	ハングル	한글
～泊～日	～박 ～일＜－泊－日＞	ハングル検定試験	한글검정시험＜―檢定試驗＞
拍手	박수＜拍手＞	晩ご飯	저녁
博物館	박물관＜博物館＞[방물관]	半ズボン	반바지＜半――＞
はさみ	가위	反応	반응＜反應＞
初めての～	첫 ～	ハンバーガー	햄버거
始めます	시작하겠습니다＜始作―――――＞[시자카게씀니다]	パン屋	빵집[빵찝]
始める	시작하다 動 ＜始作――＞[시자카다]	日(ひ)	날
		ピアノ	피아노
場所	곳	ビーフカレー	쇠고기 카레
パジョン	파전	(お金を)引き出す	(돈을) 찾다 動
バス	버스	(辞書を)引く	(사전을) 찾다
肌	피부＜皮膚＞	弾く	치다 動
働く	일하다 動 [이라다]	低い	낮다 形
八	팔＜八＞, 여덟[여덜]	飛行機	비행기＜飛行機＞
八十	팔십＜八十＞, 여든	久しぶりに	오래간만에
初～	첫 ～	左、左側	왼쪽
発表	발표＜發表＞	びっくりする	깜짝 놀라다 動 [깜짱―]
パッピンス	팥빙수＜－氷水＞	引っ越す	이사가다＜移徙―＞ 動
パティシエ	파티셰	必要	필요＜必要＞
バドミントン	배드미턴	ビデオ	비디오
鼻歌	콧노래[콘노래]	人	사람
話	말, 이야기	一つ	하나
話す	말하다 動 [마라다], 이야기하다 動	一人で	혼자서
		ビビンバ	비빔밥[비빔 빱]
		百	백＜百＞
		百万	백만[뱅만]＜百万＞
		日焼け止めクリーム	썬크림

日本語	韓国朝鮮語	日本語	韓国朝鮮語
百貨店	백화점<百貨店>[배콰점]	～へ	～에
～秒	～ 초 漢単<秒>	ヘアスタイル	헤어스타일
病院	병원<病院>	平和	평화<平和>
ひょっとして	혹시<或是>	～ページ	～ 페이지 漢単
昼休み	점심 시간<點心 時間>	部屋	방<房>
広い	넓다 形 [널따]	ペン	펜
ファッション	패션	勉強	공부<工夫>
フードコート	푸드코트	返事	대답<對答>(問いや呼びかけに対する), 답장<答狀>(手紙やメールに対する)
深い	깊다 形		
部活	특별활동<特別活動>[－－－똥]		
		弁当	도시락
吹く	불다 形	便利だ	편리하다 形<便利－－>[펼리하다]
服	옷		
復習する	복습하다 動<復習－－>[복스파다]	放課後	방과후<放課後>
		帽子	모자<帽子>
無事に	무사히<無事－>	～のほうに行く	～로/으로 가다 動
二つ	둘	方法	방법<方法>
二つの～	두 ～	訪問する	방문하다 動<訪問－－>[방무나다]
豚の三枚肉(バラ肉)	삼겹살<三－－>		
普段	평소<平素>	ホームステイ	홈스테이
二日	이틀	ボーリングをする	볼링을 치다 動
仏国寺	불국사<佛國寺>	ボール	공
不慣れだ	서투르다 르動	僕	저(目上の人の前で), 나(同年輩や年下の人の前で)
冬	겨울		
ブラジル	브라질	僕が	제가, 내가
フランス	프랑스	ほぐす	풀다 動
フランス語	프랑스어<－語>	僕の ～	내 ～, 제 ～
フリーパスチケット	자유이용권<自由利用券>[－꿘] 動	ポジャギ	보자기
		ポスター	포스터
振る	흔들다 動	北海道	홋카이도
(雪が)降る	(눈이)오다 動	ポッサムキムチ	보쌈김치
プルコギ	불고기	～ほど	～정도<程度>
プルコギ定食	불고기정식<－定食>	ボランティア	자원봉사<自願奉仕>
プレゼント	선물<膳物>	本	책<冊>
風呂敷	보자기	ホント(に)	진짜<眞－>
風呂に入る	목욕하다 動<沐浴－－>[모교카다]	本当に	정말<正－>, 참
プロ野球選手	프로야구선수<－野球選手>	**ま**	
～分	～ 분 漢単<分>	マーライオン	마라이온
文化祭	학교 축제<學校祝祭>	～枚	～장 固単<張>
文化センター	문화 센터<文化－>	毎年	매년<每年>

213

毎日	매일<毎日>
前	앞(空間的な前), 전<前> (時間的な前)
前売り(切符)を買う	예매하다 動<豫買－－>
前払い	선불<先拂>
任される	맡다 動
巻く	말다 動
負ける	지다 動
まさに	바로
(し)ましょうか	-ㄹ까요/을까요?
(し)ます	-ㅂ니다/습니다
まずい	맛없다[마덥따] 存
(し)ますか	-ㄹ래요/을래요?
(し)ますから	-ㄹ게요/을게요
混ぜる	섞다 動 (異なるものを), 비비다 動 (こすりつけるように)
また	또
まだ	아직
町	동네
待つ	기다리다 動
まっすぐ	똑바로, 쭉
祭り	축제<祝祭>
学ぶ	배우다 動
守る	지키다 動
マヨネーズ	마요네즈
マラソン大会	마라톤 대회<－大會>
万	만<萬>
満	만<滿>
漫画	만화<慢畵>[마놔], 만화책<漫畵冊>[마놔책]
満点	만점<滿点>[만쩜]
右、右側	오른쪽
水	물
水キムチ	물김치
店	가게
見せてあげる	보여주다 動
見せる	보이다 動
味噌	된장<－醬>
～みたいなもの	～같은 거
道	길
三つ	셋
皆さん	여러분, 다들

ミノ(人名)	민호[미노]
未来連体形語尾	-ㄹ/을
見る	보다 動
ミルク	우유<牛乳>
民俗村	민속촌<民俗村>
みんな	다, 모두, 다들
向かい側	건너편<－－便>
昔	옛날[옌날], 예전
難しい	어렵다 ㅂ形
六つ	여섯
～名	～명 漢単 <名>
メール	메일
メールアドレス	메일 주소<－住所>
召し上がってください	드세요
召し上がる	드시다 動
免税店	면세점<免税店>
～も	～도
もう一度	다시
申し訳ない	죄송하다 形<罪悚－－>
目標	목표<目標>
木曜日	목요일<木曜日>
持って行く	가지고 가다 動
持って帰る	가지고 가다 動
持って来てくれる	가져다 주다 動
持って来る	가지고 오다 動
もっと	더
もの	것, 거
もらう	받다 動
問題	문제<問題>

や

～や	～나/이나
野球	야구<野球>
野球部	야구부<野球部>
約～	약 ～<約>, 한 ～
約束	약속<約束>
野菜	야채<野菜>
易しい	쉽다 ㅂ形
(値段が)安い	싸다 形
安く	싸게
休み(学校の長期休業)	방학<放學>
休み時間	쉬는 시간<－時間>

休む	쉬다 動 , 놀다 動
八つ	여덟 [여덜]
山	산 〈山〉
遊園地	놀이공원 〈—公園〉
夕方	저녁
優勝	우승 〈優勝〉
優勝する	우승하다 〈優勝——〉 動
裕太 (人名)	유타
郵便局	우체국 〈郵遞局〉
有名だ	유명하다 〈有名——〉 形
雪	눈
有紀 (人名)	유키
ユジン (人名)	유진
ゆず茶	유자차 〈柚子茶〉
ゆっくり	천천히 [천처니]
夢	꿈
ユンノリ	윷놀이 [윤노리]
良い	좋다 形 [조타]
(し)よう(反말(ため口)の語尾)	-자
(し)ようと思います;予定・心づもり	-ㄹ/을 거예요 [ㄹ 꺼에요]
(ちょうど)よかった	잘 됐다
よく	잘
よくなる	좋아지다 動 [조아지다]
汚れがなく清潔だ	깨끗하다 形 [깨끄타다]
夜空	밤하늘 [바마늘]
四つ	넷
呼ぶ	부르다 르動
読む	읽다 [익따] 動
予約	예약 〈豫約〉
寄る	들르다 으動
夜	밤
夜遅く	밤늦게
よろしく伝える	안부 전하다 動 〈安否傳——〉[—저나다]
四	사 〈四〉, 넷/네 ~
四十	사십 〈四十〉, 마흔
ヨンチョル (人名)	영철

ら

来週	다음 주 〈—週〉 [다음쭈]
来賓席	귀빈석 〈貴賓席〉
留学	유학 〈留學〉
留学に行く	유학가다 動 〈留學—〉
流行	유행 〈流行〉
利用	이용 〈利用〉
料金	요금 〈料金〉
(ご)両親	부모님 〈父母—〉
料理	요리 〈料理〉
料理実習	요리실습 〈料理實習〉
料理人	요리사 〈料理士〉
緑茶	녹차 〈綠茶〉
旅行	여행 〈旅行〉
旅行してまわる	여행을 다니다 動 〈旅行——〉
旅行に行く	여행을 가다 動 〈旅行——〉
リンゴ	사과 〈沙果〉
零	공 〈空〉, 영 〈零〉
冷蔵庫	냉장고 〈冷藏庫〉
冷麺	냉면 〈冷麵〉
—れば	-면/으면
—ればいいです(か)	-면/으면 돼요(?)
—ればうれしい	-았/었/였으면 좋겠다
レモン	레몬
連休	연휴 〈連休〉 [여뉴]
練習	연습 〈練習〉
練習する	연습하다 動 〈練習——〉 [연스파다]
連絡	연락 〈連絡〉 [열락]
六	육 〈六〉, 여섯
6月	유월 〈六月〉
六十	육십 〈六十〉, 예순

わ

わあ!	와!
沸かす	끓이다 動 [끄리다]
分かる	알다 動
忘れる	잊다 動 , 잊어버리다 動
私	저(目上の人の前で), 나(同年輩・年下の人の前で)
私が	제가, 내가
私たち	우리

私の〜	내 〜, 제 〜
私の(もの)	제 것[제껃], 내 것[내껃]
笑う	웃다 [動]
割る	깨다 [動]
悪い	나쁘다 [으形]
〜を	〜를/을
-んだけど	-ㄴ데/은데(形容詞・指定詞の語幹に付けて), -는데(動詞・存在詞語幹に付けて)
-んですけど	-ㄴ데요/은데요(形容詞・指定詞の語幹に付けて), -는데요(動詞・存在詞の語幹に付けて)
-んですよね	-거든요

「好きやねんハングルⅡ」編集委員　（五十音順）

任　喜久子（イム・ヒグヂャ）　　大阪府立花園高等学校　教諭
金　玟弟（キム・ミンヂェ）　　　大阪府立長吉高等学校［NKT］
左　美和子（チュア・ミファヂャ）　大阪府立住吉高等学校　教諭
長谷川　由起子（ハセガワ・ユキコ）　九州産業大学　教授
藤村　直哉（フジムラ・ナオヤ）　　大阪府立高津高等学校　教諭
梁　千賀子（ヤン・チョナヂャ）　　大阪大谷大学　非常勤講師

高校生のための韓国朝鮮語
好きやねんハングルⅡ

2012年　6月　15日　初版発行
2023年　3月　30日　6刷発行

著者　　高等学校韓国朝鮮語教育ネットワーク西ブロック
　　　　「好きやねんハングルⅡ」編集チーム
発行　　白　帝　社
発行者　佐藤和幸
　　　　〒171-0014　東京都豊島区池袋 2-65-1
　　　　TEL. 03-3986-3271
　　　　FAX. 03-3986-3272（営）03-3986-8892（編）
　　　　https://www.hakuteisha.co.jp/
制作　　ワールドインソウル
　　　　崔鍾珉
　　　　〒135-080　ソウル市江南区駅三洞 817-21 ILwoo B/D 4F
　　　　TEL. 02-563-2362　　　FAX. 02-563-1866
編集　　権ナリ
イラスト　山下蓉子、Forth Ash

ISBN 978-4-89174-948-4
＊ 定価は表紙に表示してあります。